히카루가 죽은 여름 7

초판 1쇄 발행 2025년 10월 20일

작가_ Mokumokuren
옮긴이_ 송재희

발행인_ 최원영
본부장_ 장혜경
편집장_ 김승신
편집진행_ 권세라 · 최혁수 · 김경민 · 최정민
커버디자인_ 양우연
내지디자인_ CMY그래픽
국제업무_ 박진해 · 조은지 · 남궁명일
관리 · 영업_ 김민원 · 조은걸

펴낸곳_ (주)디앤씨미디어
등록_ 2002년 4월 25일 제20-260호
주소_ 서울시 구로구 디지털로 32길 30, 코오롱디지털타워빌란트 1301-1308호
전화_ 02-333-2513(대표)
팩시밀리_ 02-333-2514
이메일_ lnovellove@naver.com
L노벨 공식 카페_ http://cafe.naver.com/lnovel11

HIKARU GA SHINDA NATSU Vol.7
©Mokumokuren 2025
First published in Japan in 2025 by KADOKAWA CORPORATION, Tokyo.
Korean translation rights arranged with KADOKAWA CORPORATION, Tokyo.

ISBN 979-11-278-8453-6 07830
ISBN 979-11-278-6778-2 (세트)

값 6,500원

「본다」는 행위는
부정함과의 인연…
연결되게 해준다.

그러니까
보면
안 되는 거고.

그리고
「연결」의
대가는―.

쏴

찰칵

찰캉

히카루가 죽은 여름

8권에 계속

「구멍」에서
히카루의 몸만
돌아왔다.

반대편에서
히카루에게
무슨 일이 일어난 걸까.

후기

7권도 읽어 주셔서 감사합니다.
구멍 닫기편도 클라이맥스에 들어서면서
타나카와 아사코도 활약하게 되었습니다.
「히카루가 죽은 여름」은 10권쯤에서 끝날 예정
(현재로써는)이니 조금만 더 함께해 주시면
좋겠습니다.

어시스턴트
노무 님
항상 고마워요!

최근 등장이 적은
유우키

「히카루」에 관해 알고 있는 것

약 300년 전,
산에 출현한 것을
히카루의 선조가
노우누키 님이라고
착각한 무언가로,
노우누키 님은 아니다.

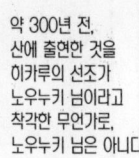

타나카의 회사에서는
「유락체」라고 부르는 존재.

모르는
사이에
저세상에서
이쪽에 몰려와
사람의
소원을
이루어 주는
존재죠.

저희 회사에서는
그걸
「유락체」라고
불러요.

「유락체」는
여럿 존재하지만,
이 세상에 매우 드물게
출현한다.

히카루
말고도
있나요?

회사는 14세기경에
최초의 유락체를 발견.
(요시키가 본
화집에 그려져
있던 개체)

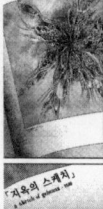

「지옥의 스케치」
a sketch of greens ink

유락체는 「불멸」, 「현실을 왜곡하여
인간의 소원을 이루어 준다」는
특징을 가졌다.
하지만 소원은 대개
제대로 이루어지지 않는다.

사람의 지식을
넘어선 존재를
이용하는 건
비극을
부르죠.

대부분
뜻대로
이루어지지
않아요.

회사는 유락체를 찾기 위해 각지에
조사원을 파견하고 있다.
타나카도 그중 한 명이지만, 회사가
유락체를 이용하도록 내버려두고 싶지
않은 것 같다.

왜냐면, 회사가
원하는 대로
굴러가게 두는
심산이…

인간이 아닌
존재에게는

영혼만이
본질일지도
모르지만

영혼처럼
눈에
안 보이는 건

인간이 믿기엔
너무 애매모호
합니다.

…라고 보통은 말할지도… 그치만…

「모습이 달라졌어도 그 사람인 건 변함없다」

무가차마루는 여기저기 쉬하고….

만약 반려견 무가차마루가 「할머니의 환생」 이라고 하면 못 믿겠지.

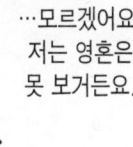

…모르겠어요. 저는 영혼은 못 보거든요.

굉장한 영능력자?라면 알 수 있을지도 모르지만….

손.

와⋯.

느 □로하지 않나요?

0120-0XX0-034

학생은
이 햄스터를
그 사람이라고
말할 수 있다고
생각하나요?

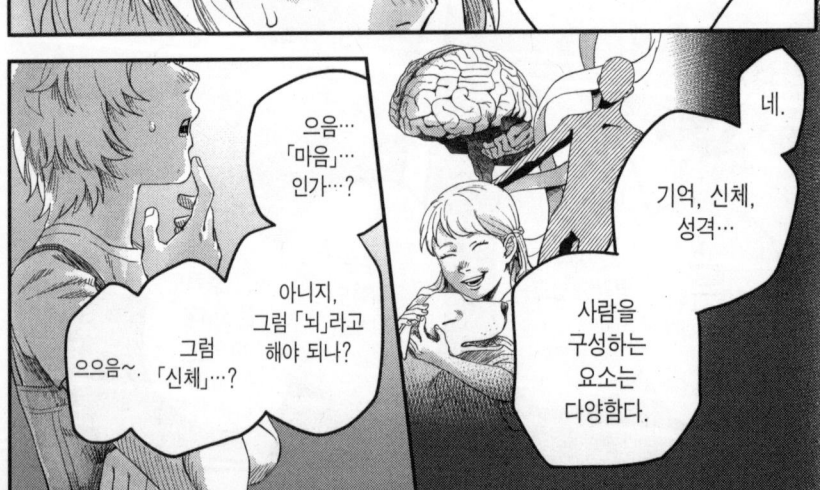

참고로
안전한 곳이면
헷바퀴를 돌리며
놓아요.

생각보다
소리
크네….

달그락 달그락

호오~

햄스터
인데….

어?
근데 어떻게
그런 게
가능해요?

그 사람이
영감을 가지고
있었거든요.

…햄스터지만,
알맹이…
영혼은 인간임다.

근데요…

이 햄스터는 왜 데리고 다녀요?

특별편

부정함을 감지해 줍니다.

저한테는 영감이 전혀 없거든요.

부정함이 다가오면. 울어서 알려 줘요.

요시키는
신체적인 잠재력이 뛰어나기에,
단련하면 믿음직스러워집니다.

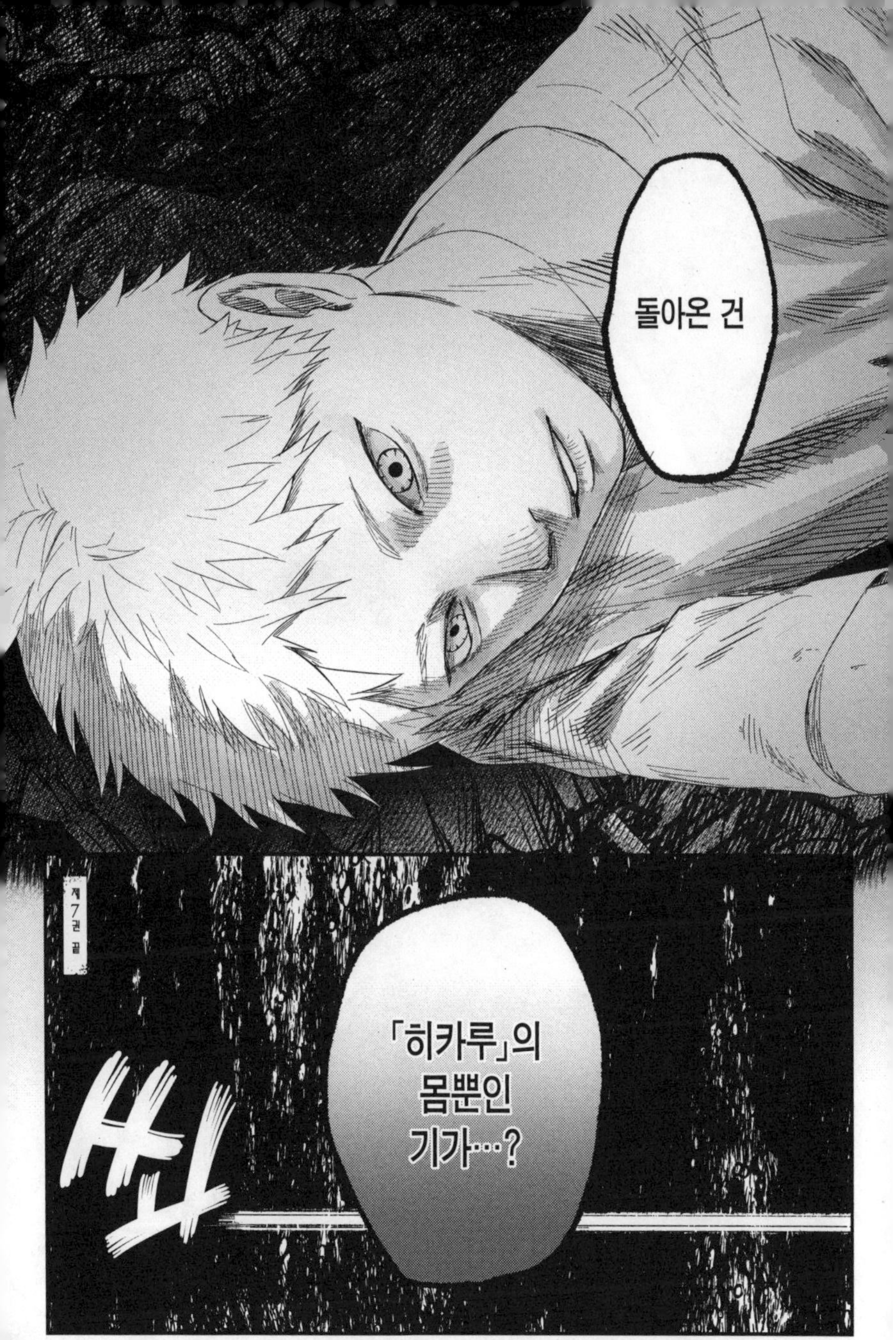
돌아온 건
「히카루」의
몸뿐인
기가…?
씨
제7권 끝

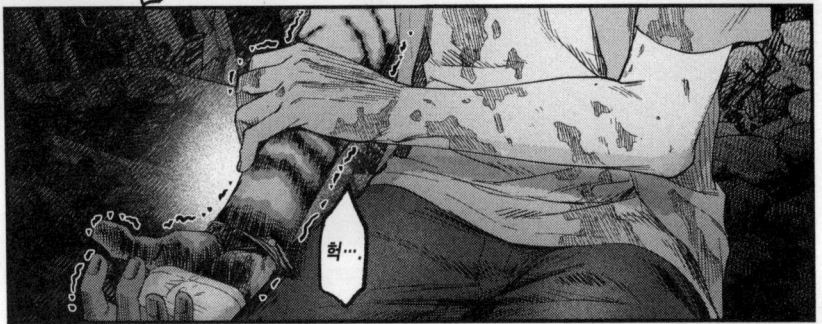

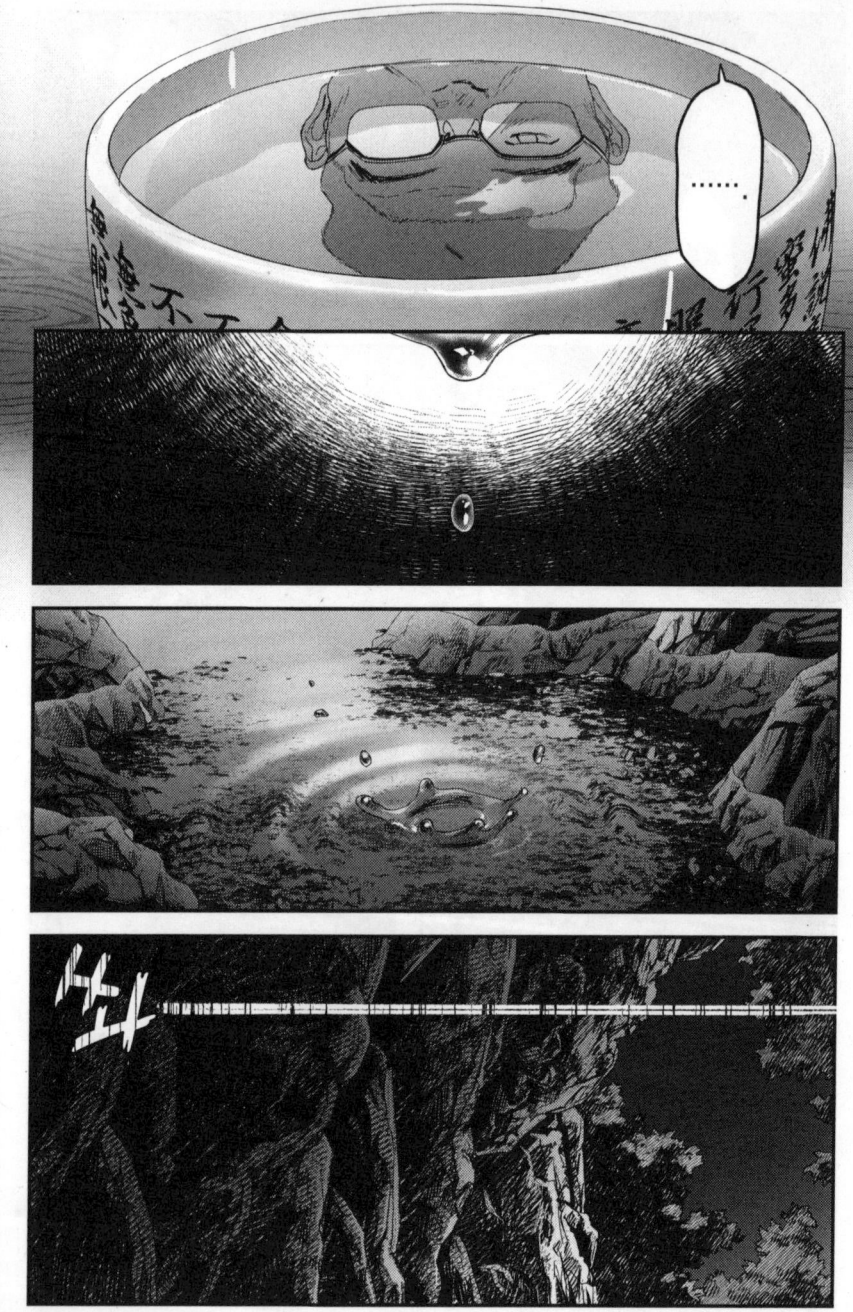

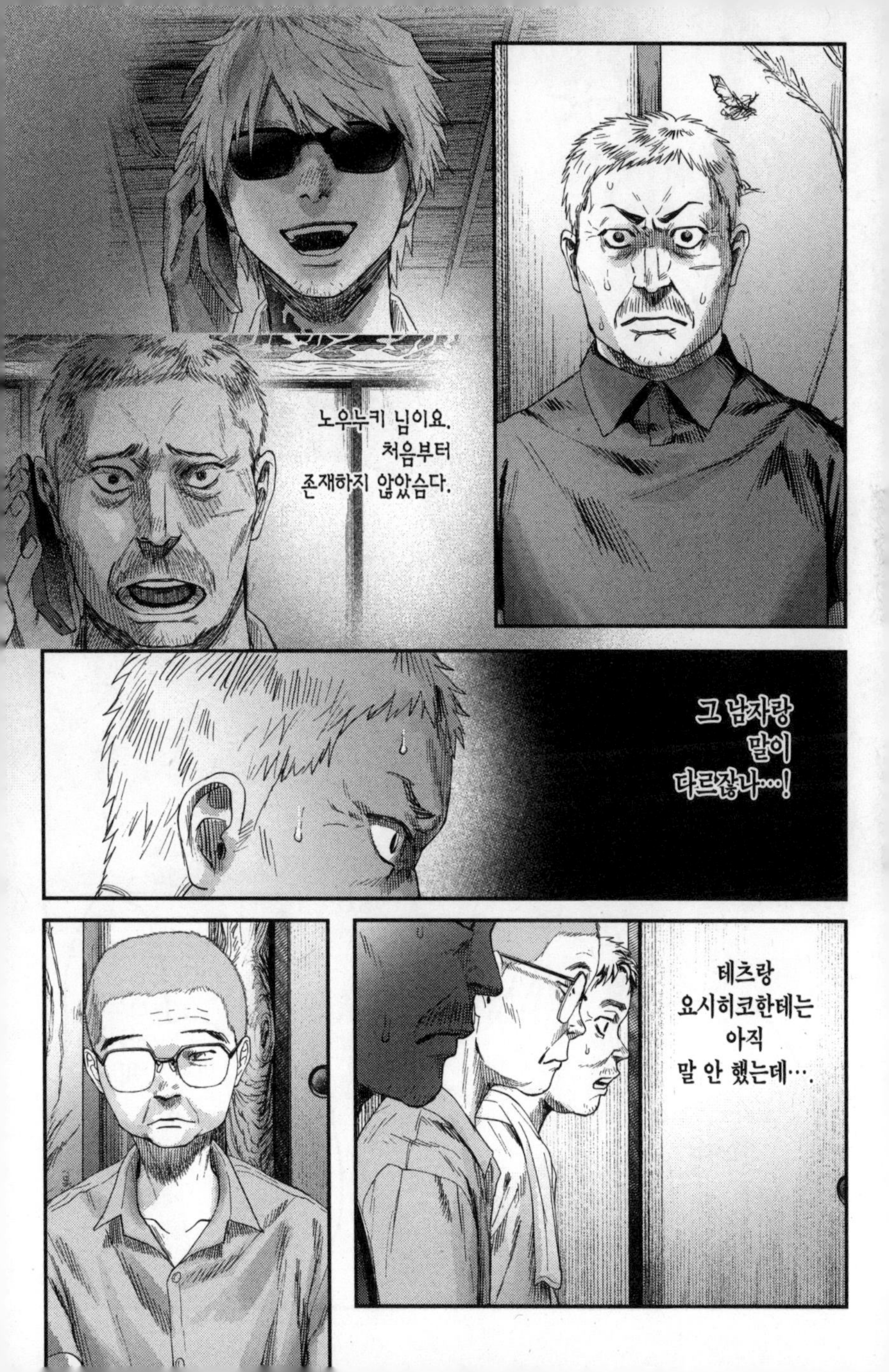

노우누키 님이요.
처음부터
존재하지 않았습다.

그 남자랑
말이
다르잖나…!

테츠랑
요시히코한테는
아직
말 안 했는데….

觀自在菩薩
行深般若波羅蜜
照見五蘊皆空
度一切苦厄 舍利子
色不異空 空不異色
色即是空 空即是色
受想行識 亦復如是
舍利子 是諸法空相
不生不滅 不垢不淨
不增不減 是故空中
無色 無受想行識
無眼耳鼻舌身意

...즉,

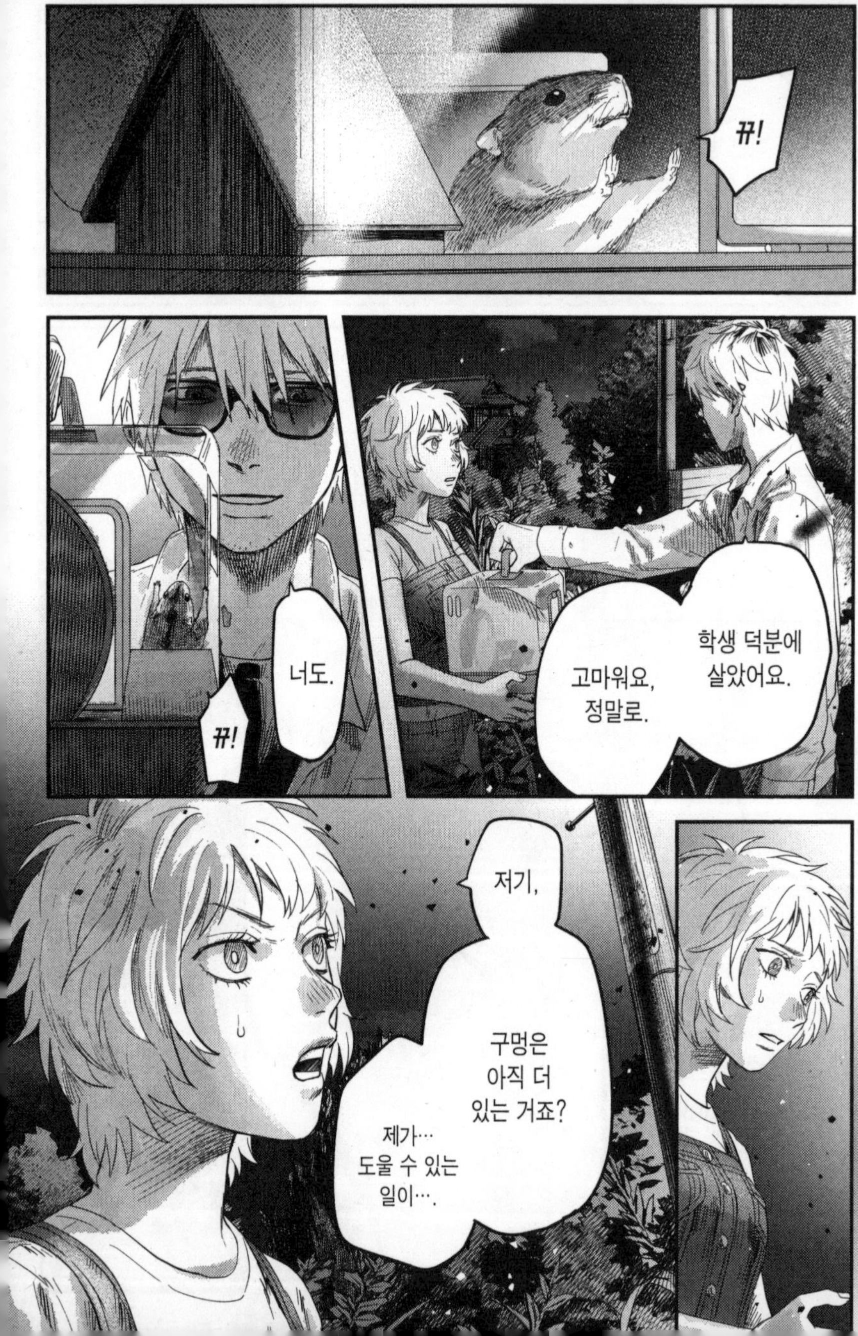

뀨!
학생 덕분에 살았어요.
고마워요, 정말로.
너도.
뀨!
저기,
구멍은 아직 더 있는 거죠?
제가… 도울 수 있는 일이….

하아…

하앗!

속인거야?!

아 아 아 아 아 아

다행이다…

손은…
안 쫓아오네.

자, 잠깐만!
지금 뭐 하는
검까?!

찍
찍!!

했잖아요!

끊임없이
눈앞의 존재를
진지하게
대하라고

저는…

아저씨한테도
그러고
싶으니까…!

할머니…
내는 들리기만 할 뿐,
항상 도망치기만
하고….

조상님이랑은
다른갑다.

영혼을 보거나
들을 수
있어서…

우데카리와
키보우가야마의
많은 사람을
도왔지.

그런 소리
말그래이.

아사코는
아주 강한 영혼을
가지고 있잖아.

마음만 먹으면
뭐든 할 수 있는
아이니까….

야마기시 가문의
조상님은 있제.
아주 훌륭한
사람이었데이.

아사코.

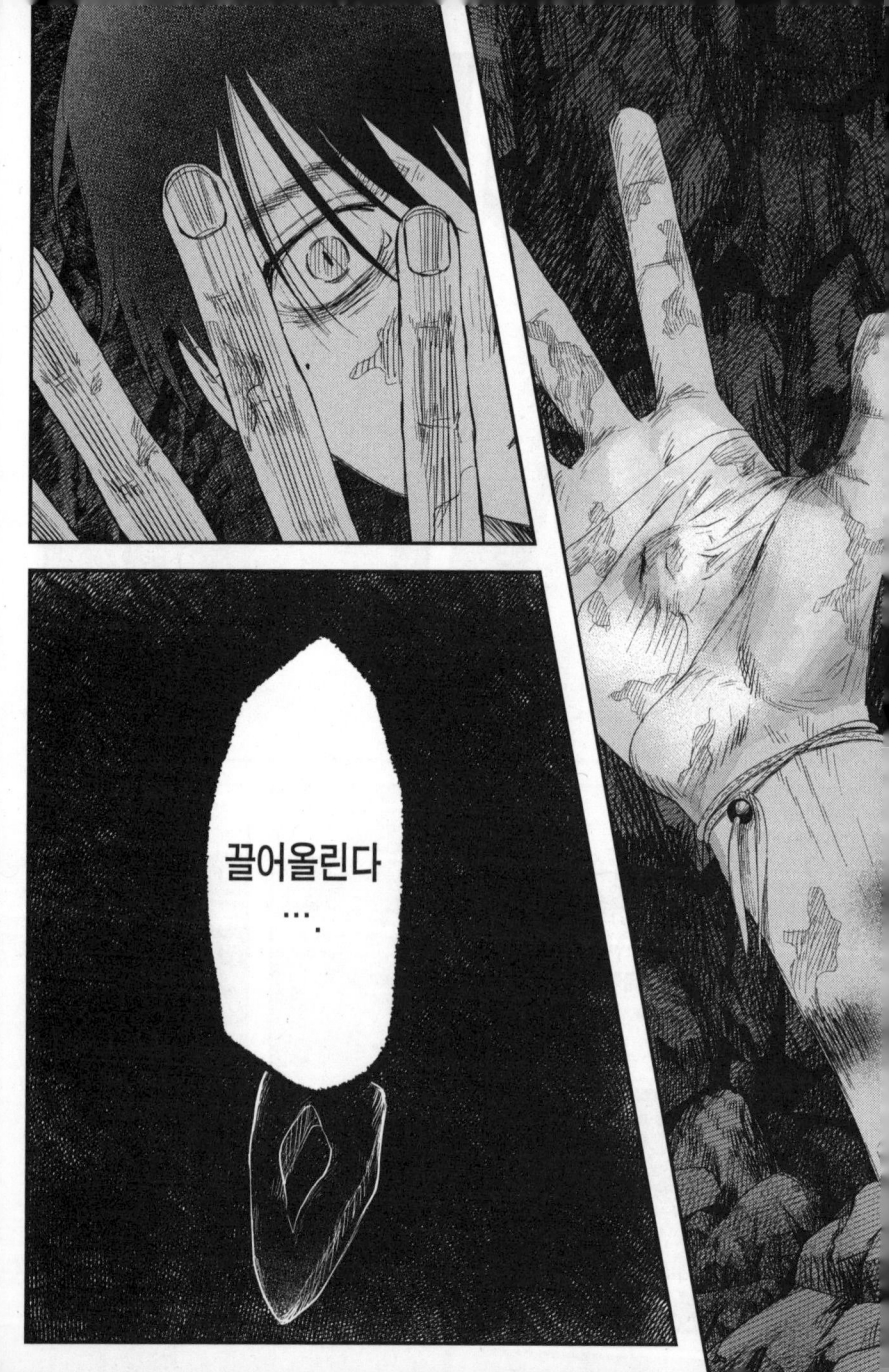

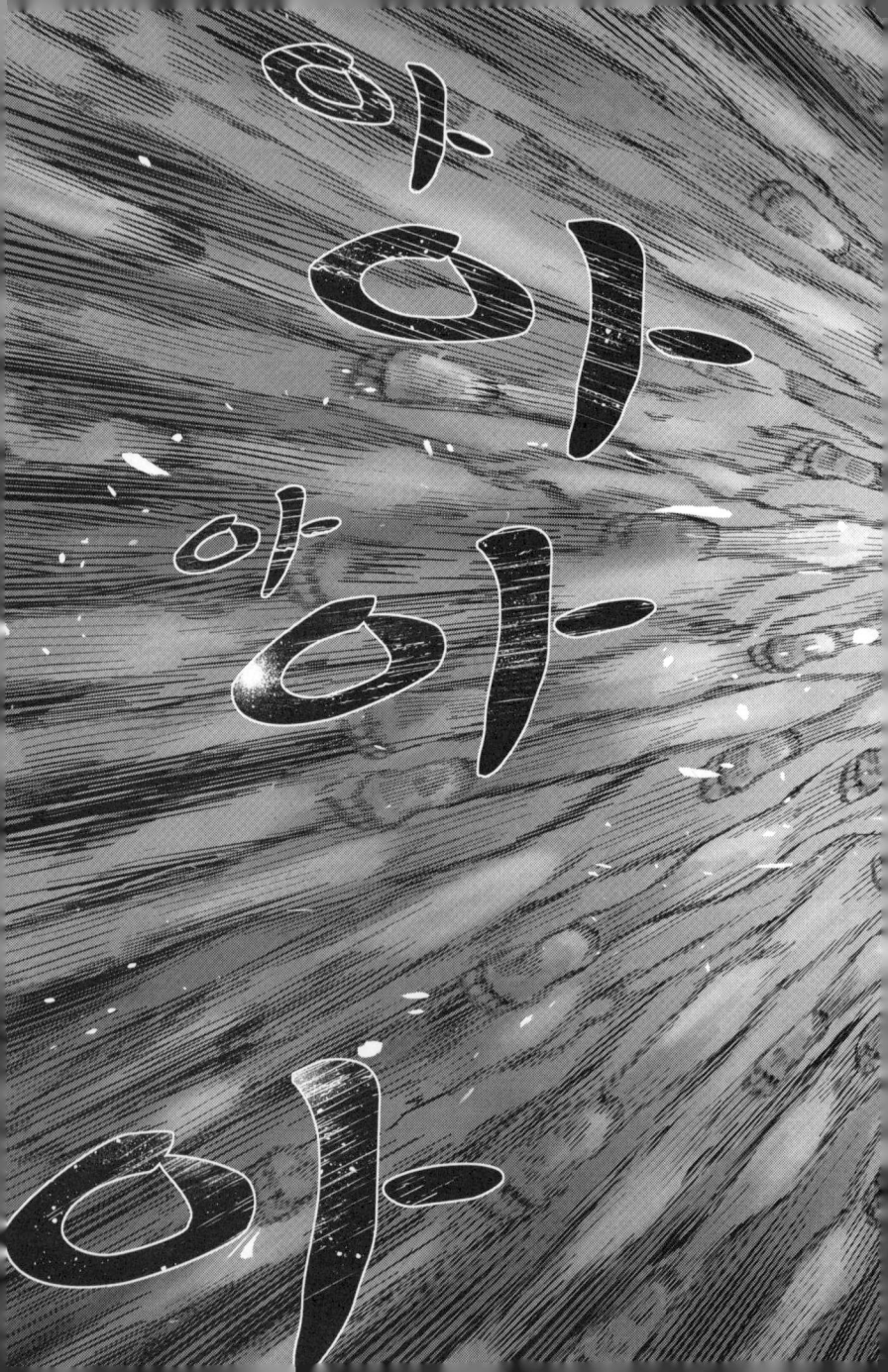

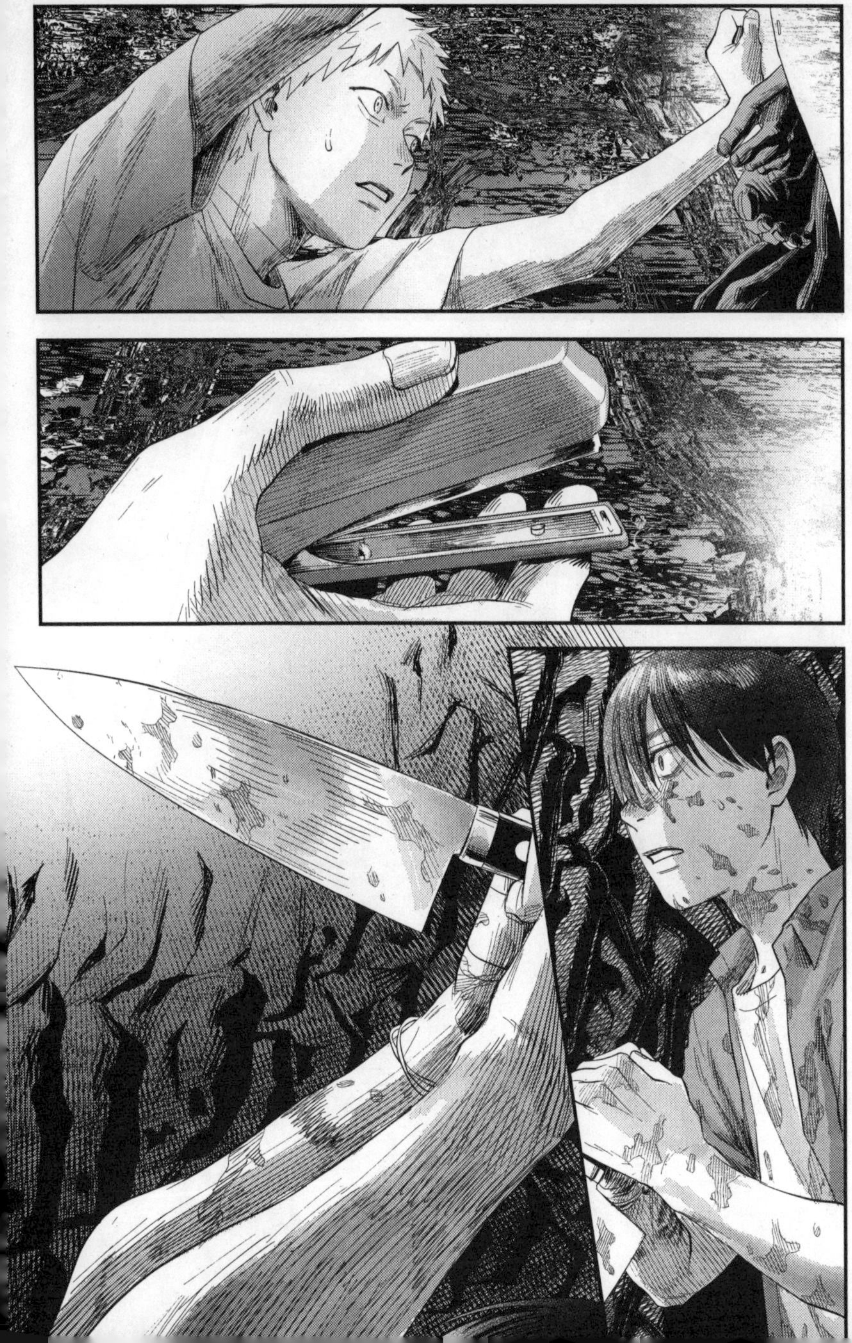

아마···
이건
기회다.

달그락···

음찔

음찔

음찔

음찔

헉!

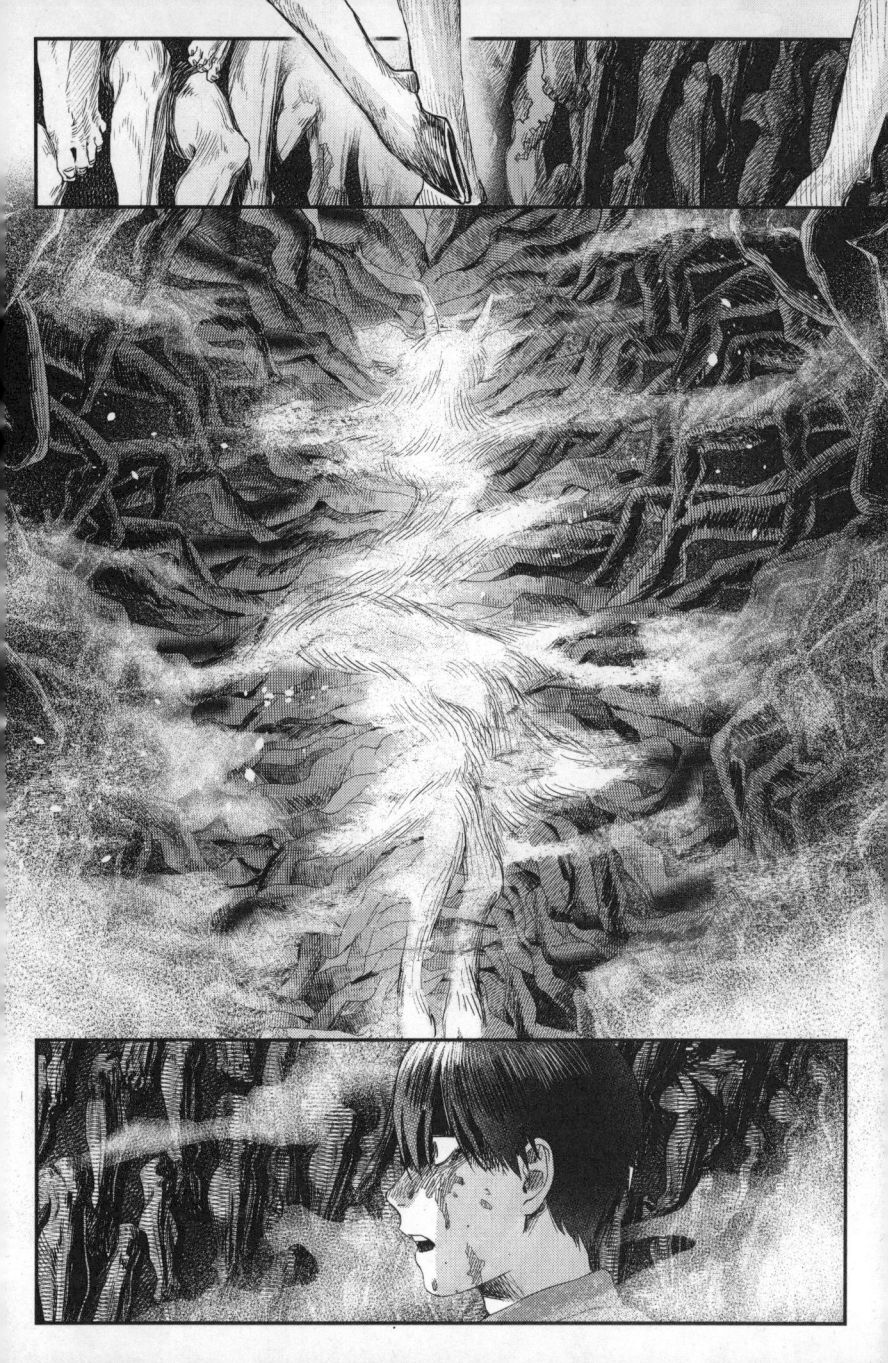

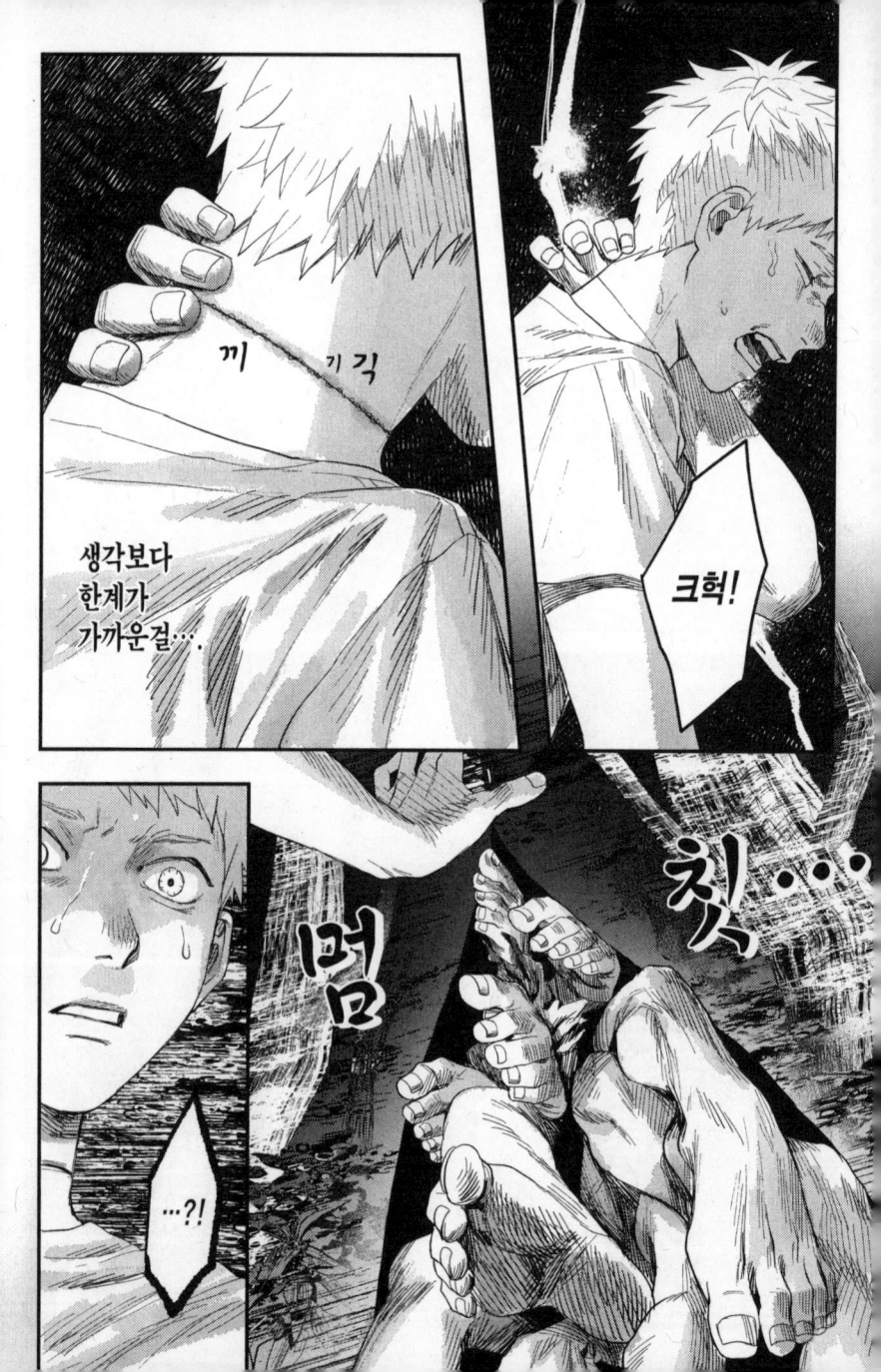

Q 이 지역에 영감(靈感) 있는 사람이 많은 것 같은데요.

A 영능력은 유전되니까.
이 땅에서 영감이 있는 사람은
같은 조상의 피를 이었을지도 몰라.

부정함 쪽에서
간섭해 왔을 때는
요시키 같은 일반인에게도
보이는 경우가 있다.

흐응~
천연 곱슬이
많은 것도
유전 때문인가?

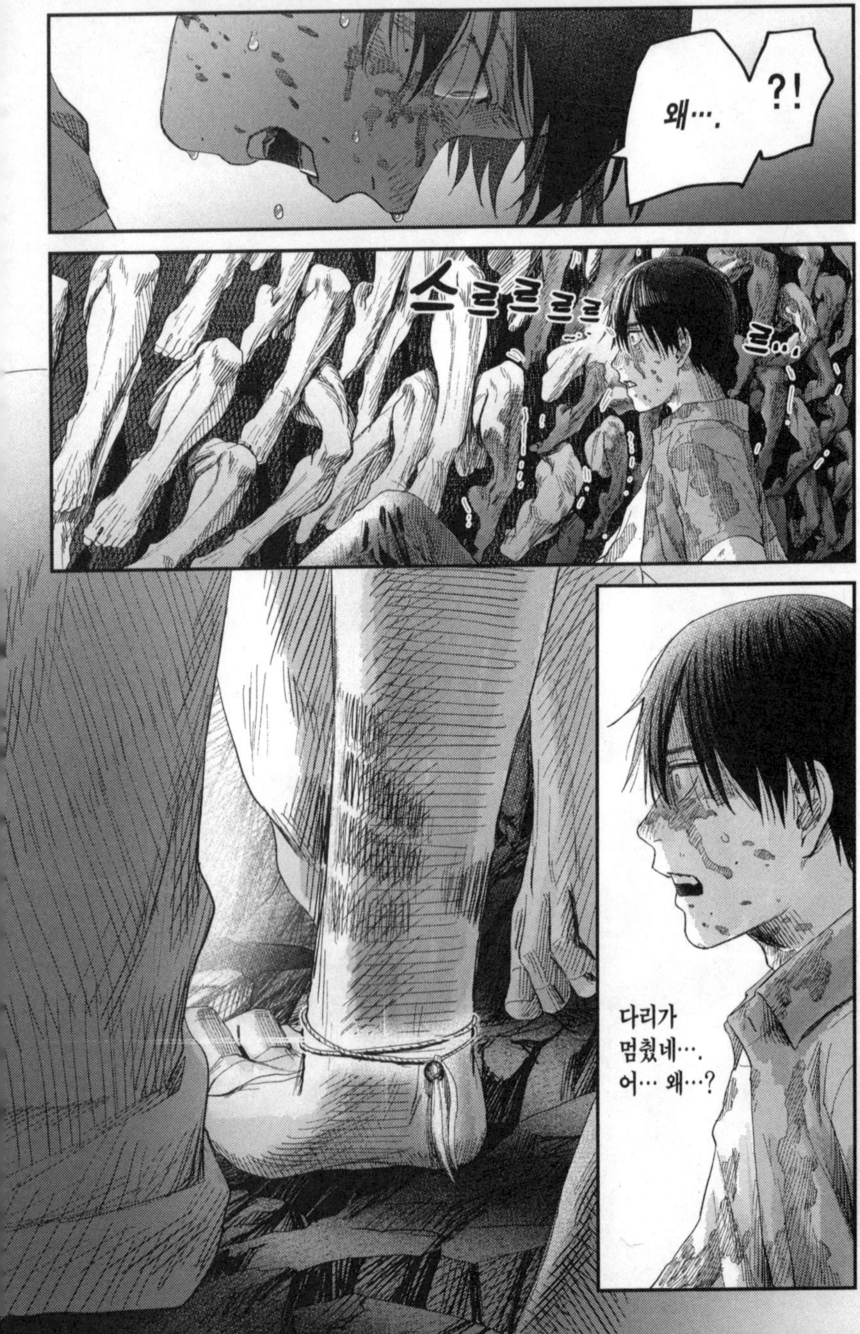

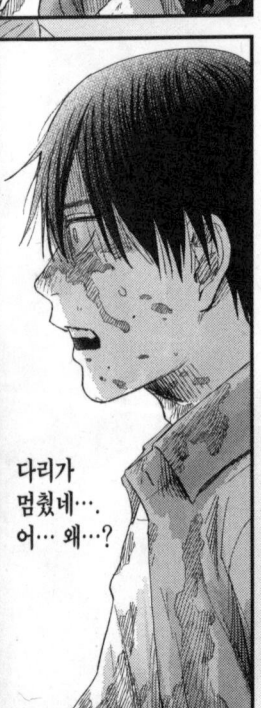

생전의 히카루랑
만날 수 있을지도
모르겠네.

「히카루」는…

하지만…

으헉!

아무튼
겁나 큰
빵집,
가자.

구멍에
빨려들어간다….

커헉!

크…

젠장!

그럼
어떻게 되지?

어어…
일단 구멍에
삼겨지면
죽는댔지.

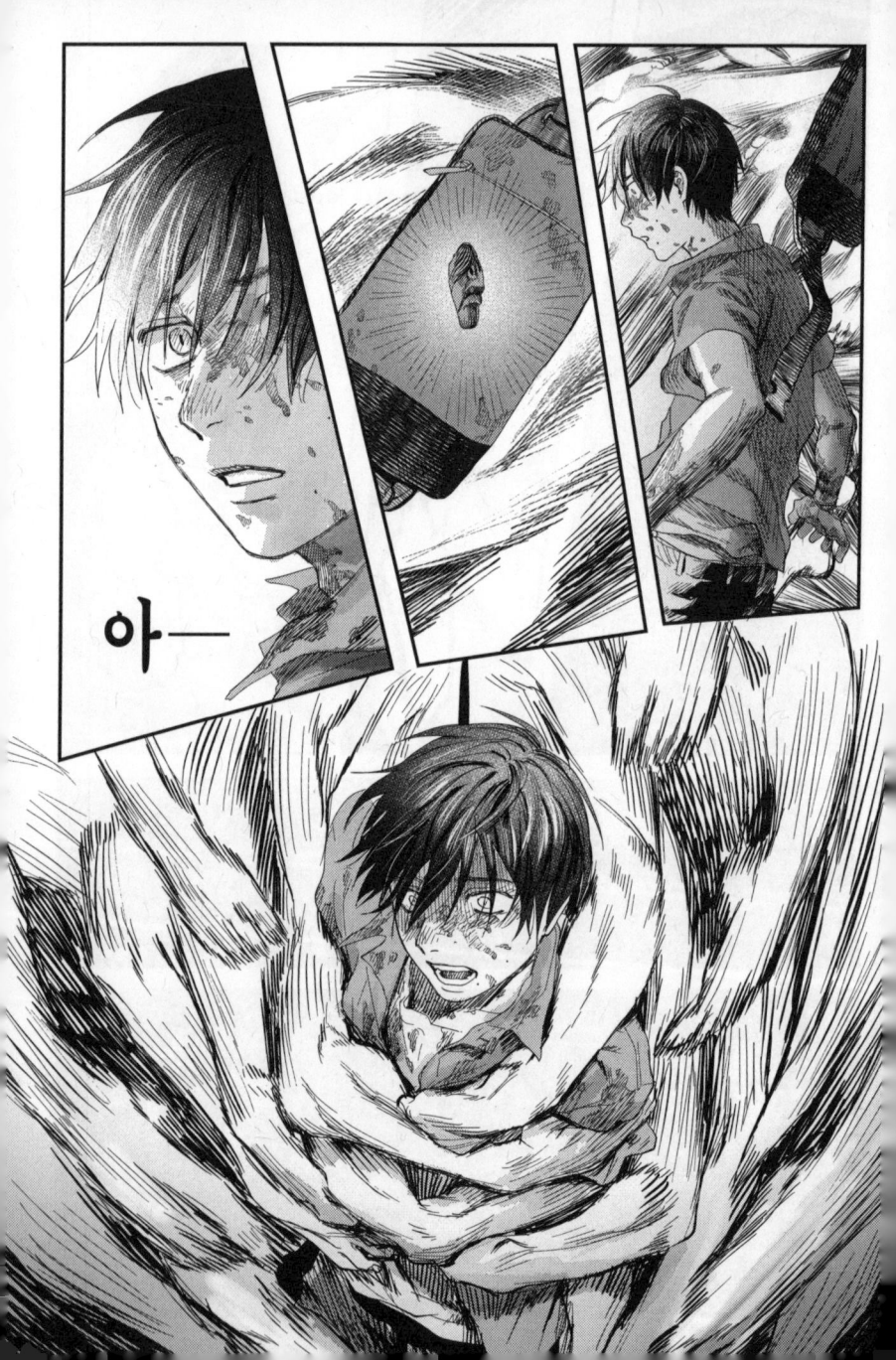

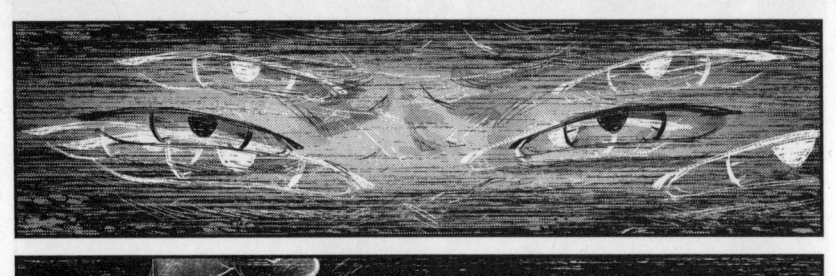

찰캉

헉?!

쭈우욱...

타

앙

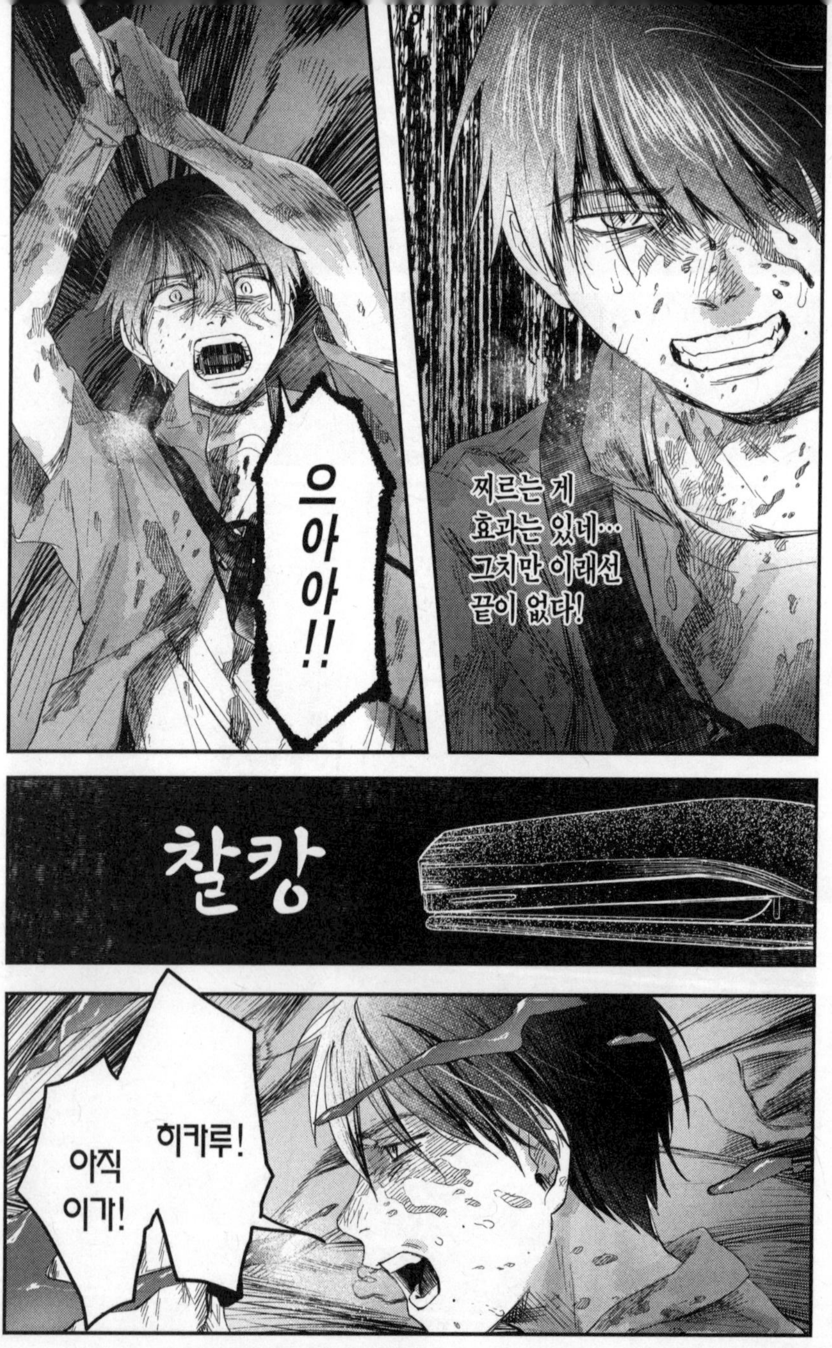
으아아!!
찌르는 게
효과는 있네…
그치만 이래선
끝이 없다!
찰캉
히카루!
아직
이가!

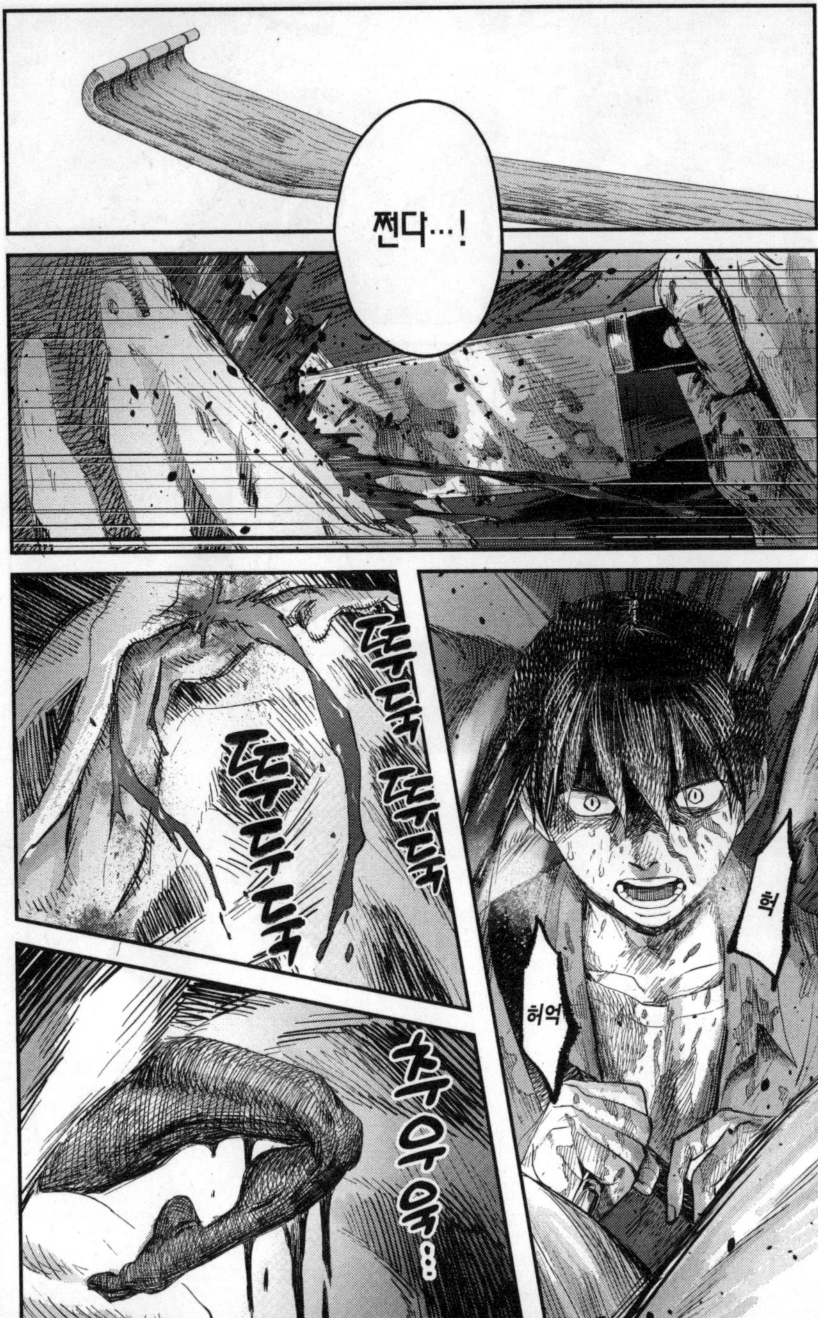

쩐다…!
뚜두둑 뚜두둑
뚜두두둑
허억
허억
츠우우욱…

응?

······

후우.

아…
이거?

효자손
이다.

왠지 모르겠지만
이게 부정함한텐
잘 듣는 거
있제~.

아하하하!

하아

하아

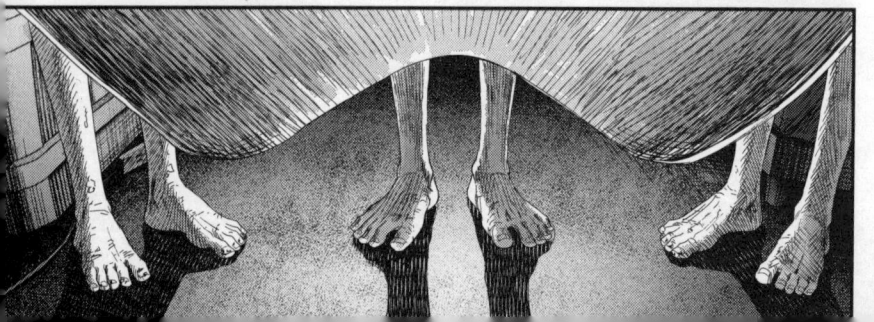

마키 가문의 인간은
산양님을
제대로 안 모시면
높은 확률로
일찍 죽는다이가.

아이다!
삼촌은 집 지을 때
산양 사당을
안 만들었잖아.

마사히코 삼촌은
그냥 병으로
죽었다이가?

「카고메카고메」가
매일 밤
찾아온다고….

가시기 직전에는
한숨도 못 자게
돼가지고
매일 호소하셨다
카대….

대체 내가 왜 이런 일을 겪어야 되는데…!

이 녀석들은 뭔데 내 주위를 도는 거고?!

우리 산양님이 좋아하는 거라고!!

당연히 안 되지, 임마!

으엑~. 그냥 아무 잎이나 대충 바치면 안 되나?

니, 사당에 꽝꽝나무는 잘 바쳤제?

야, 유우타.

죽어뿐다!!

니 계속 그라믄 마사히코 삼촌처럼

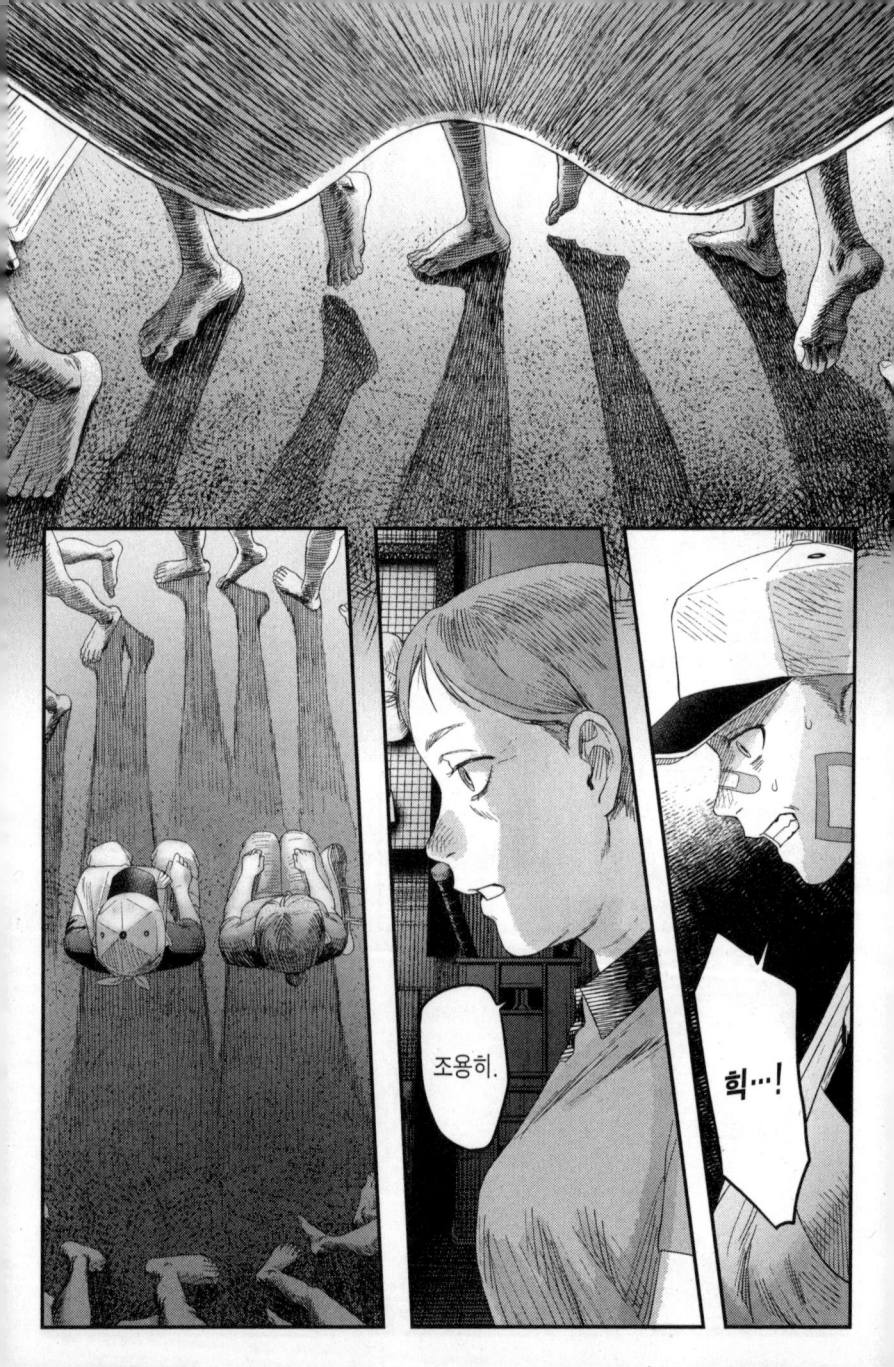

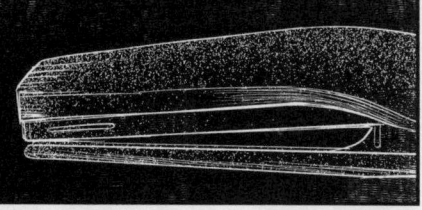

찰칵

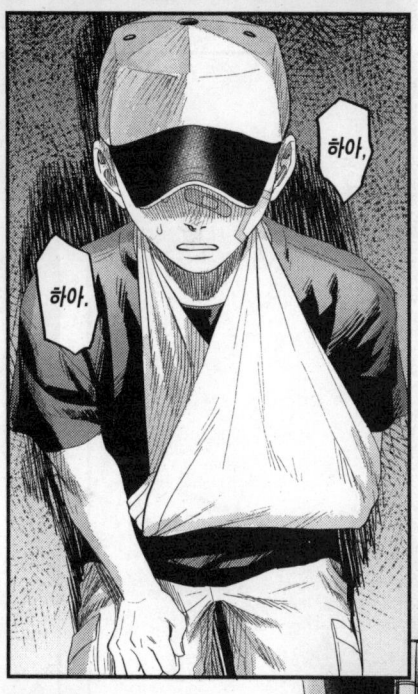

하아,

하아.

다리가
나타나기 전에
느꼈던 배가
당겨지는 감각.

평소에 느꼈던
불쾌한
감각이다.

아…

아저씨…!

찍익
찍

일단 학생은
쥐랑
먼저 나가요.

저항…

불쑥

불쑥

구멍이
닫히지 않도록
날뛰고
있어…?!

불쑥

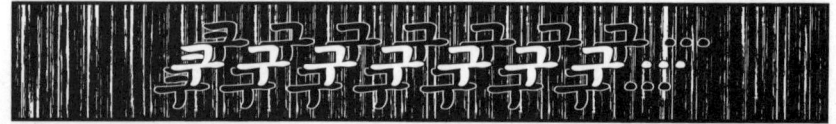

쿠구구구구구구구…!

마키!
이리 온나!
글고…
모자도 쓰고!

왔다…!

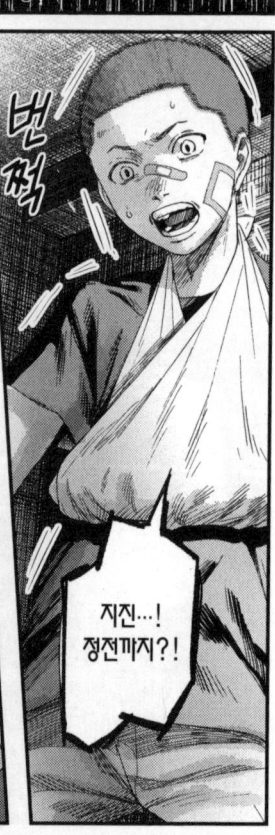

지진…!
정전까지?!

타나카는 영감이 전혀 없지만,
특별한 발성법으로 부정함에게 말을 걸고 있습니다.

온다.

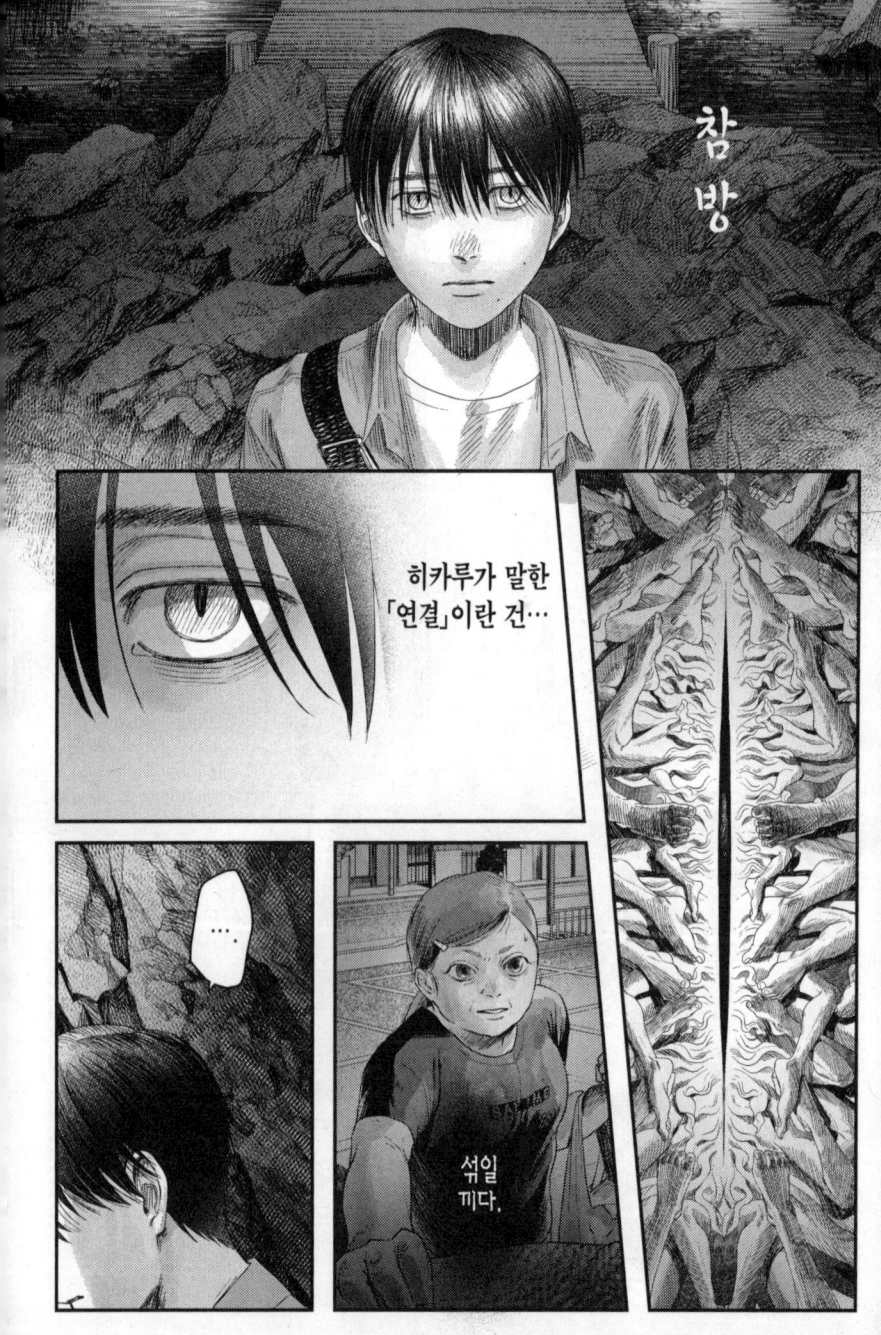

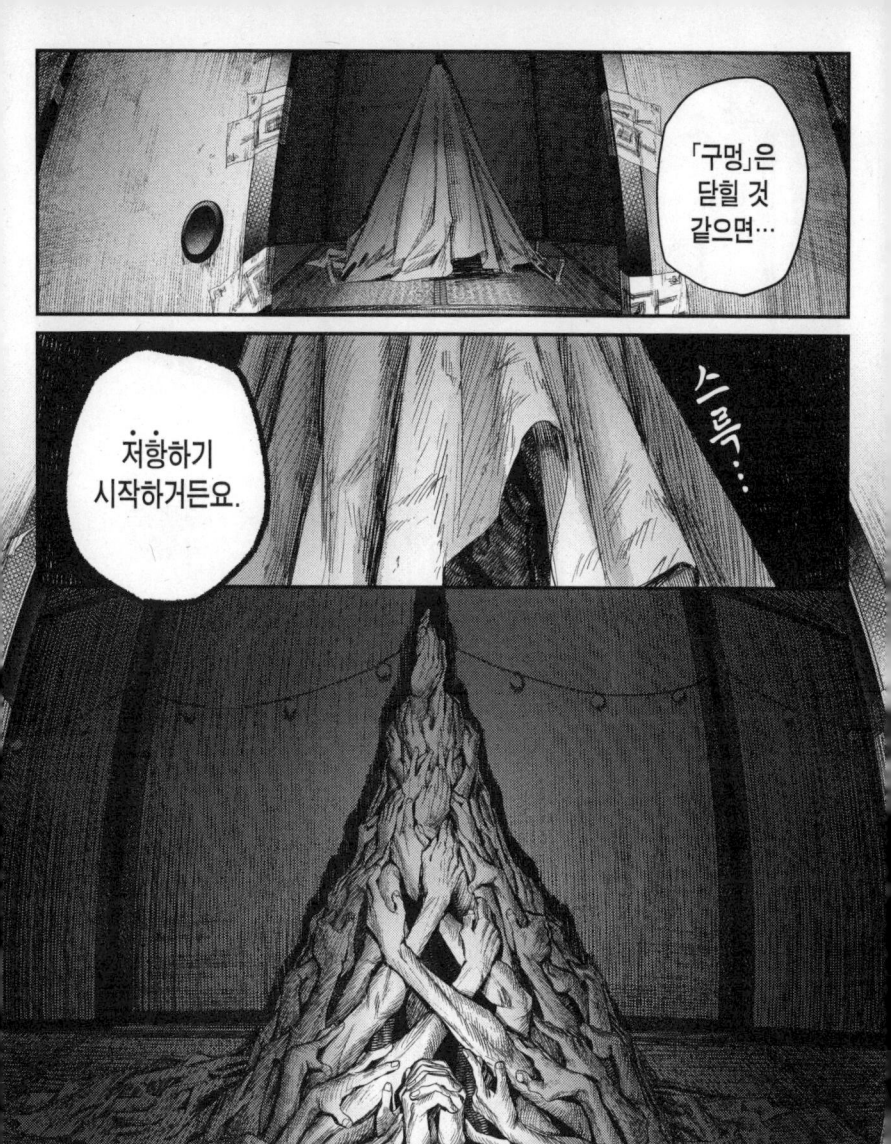

그야 구멍을 닫아버리면

저것도 못 나오니까요.

거짓말?

…그럼 뇌나 귀를 주겠다는 약속은…

다행이다. 이걸로 제대로 구멍이…

하아…

그런 거였나~.

…아뇨.

스윽……

그럼,
잘 부탁해요.

강력하긴 하지만,
머리가 좋은
타입은 아니라
다행이에요.

…딱히
착한 녀석은
아닙다.

집주인이
어딘가에서 데려와
이 정도로
키운 거죠.

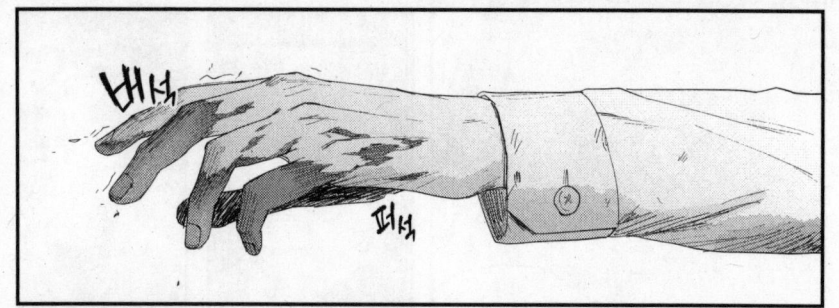

앗…!

정말로
팔이…!

이 정도로
끝난 거라면
오히려
대성공이에요.

학생
덕분임다.

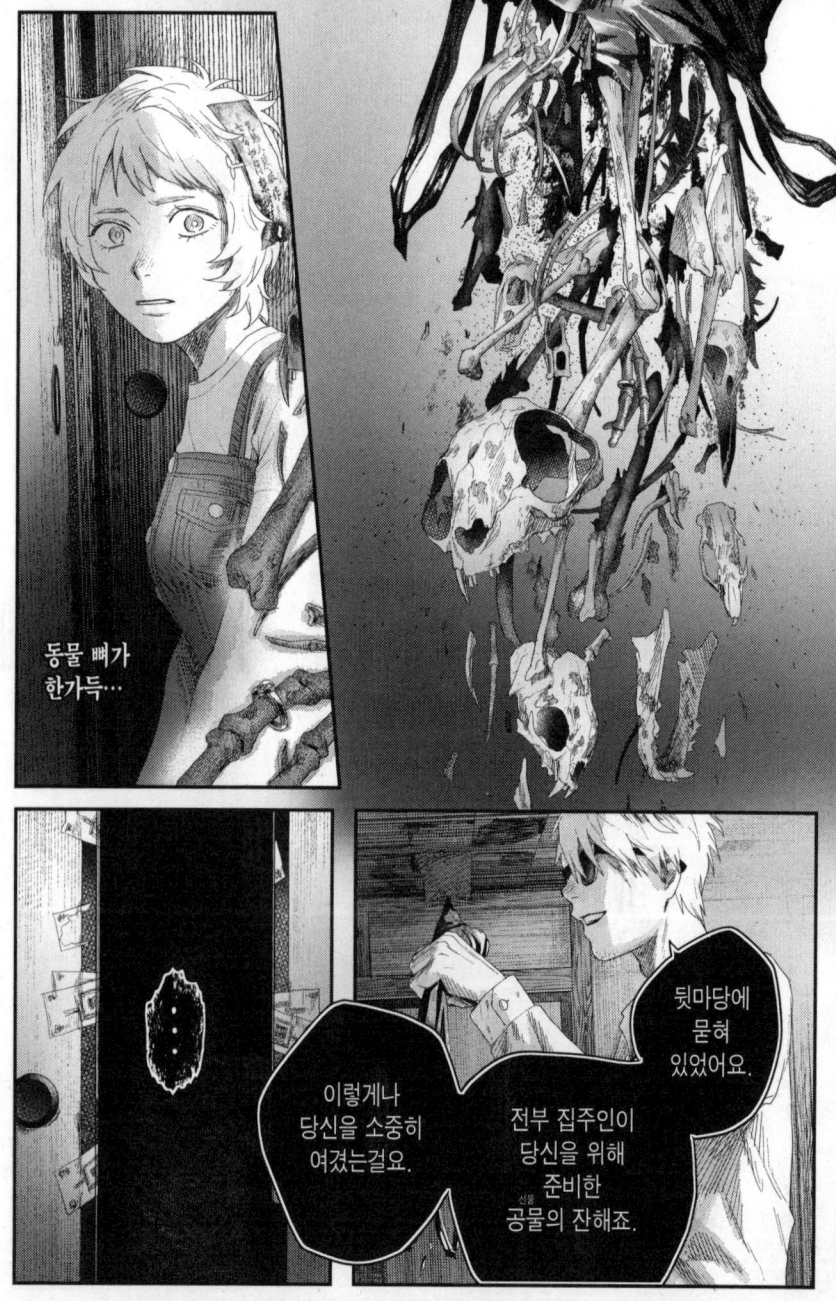

동물 뼈가
한가득…

뒷마당에
묻혀
있었어요.

이렇게나
당신을 소중히
여겼는걸요.

전부 집주인이
당신을 위해
준비한
공물의 잔해죠.

지금 이 집은
구멍의 영향으로
사람이 전혀
살 수가 없어요.

그래서
집주인이
나간 거예요.

당신이
필요 없어져서
나간 게 아니라.

햣!
좋아요.

『못
믿겠다』

같은
느낌이지만…
화는
안 났네요.

와?
엄마가?
왜?

금잠고(金蚕蟲).
옛날에 사용됐던
고독(蠱毒)의
일종이에요.

이런
부정함이라면
어떻게든
갖고 싶어 하는
물건이죠.

그, 그건
뭐예요?

뭐라고
하나요?

부족
하대요.

아저씨의
「우뇌」와
「왼쪽 몸 절반」을
갖고 싶다고….

찍...
찍.

파삿…

화,
화났어요.
화를 엄청
내서….

이건
무리일지도
....

답례는
이걸로
어떻습까?

상대를
살펴보는
거예요.

그러니까
잘 듣고

거기에
「구멍」이
있죠?

반대편에 가서
닫아 줬으면
해요.

크흠

안녕하세요.
갑자기 찾아와서
미안해요.

부탁이 있어서
왔어요.

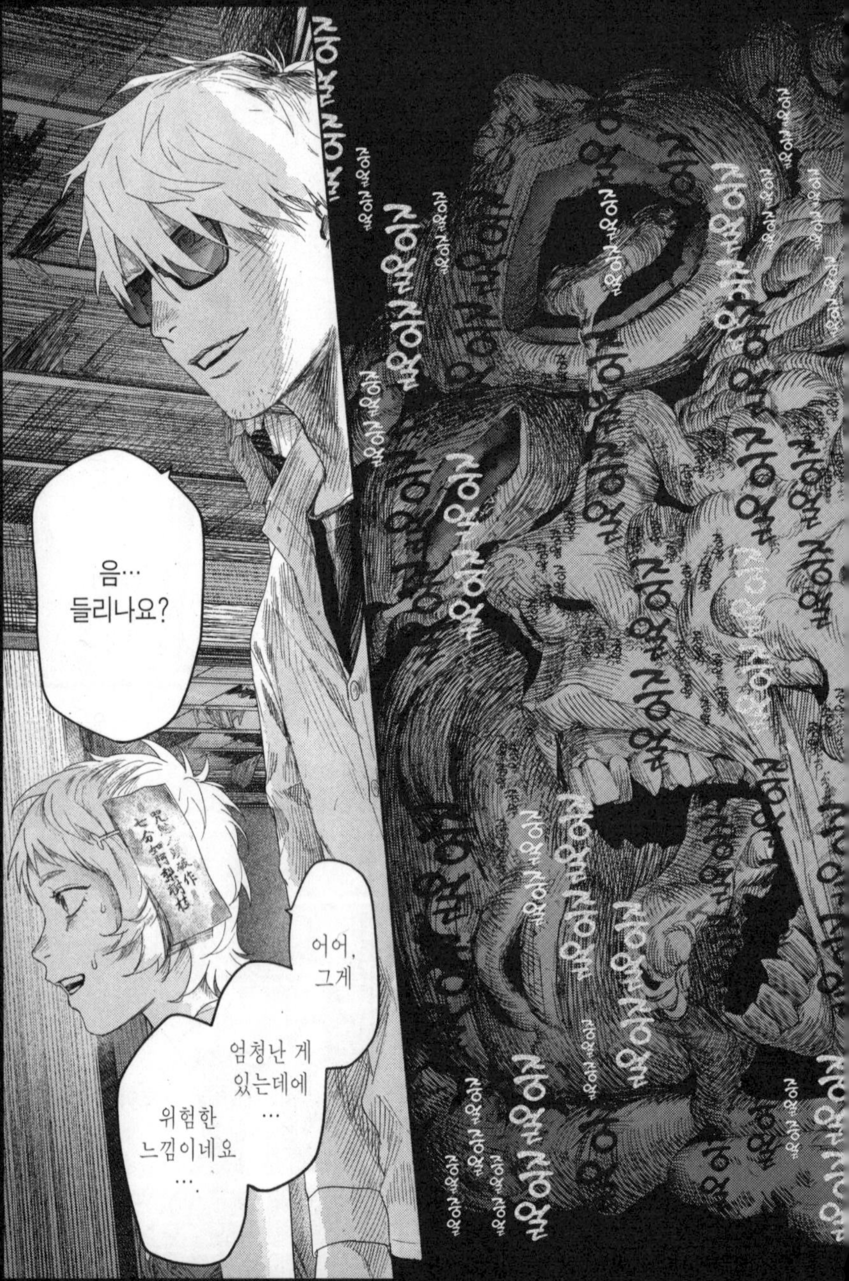
음…
들리나요?
어어, 그게
엄청난 게 있는데에 …
위험한 느낌이네요 ….

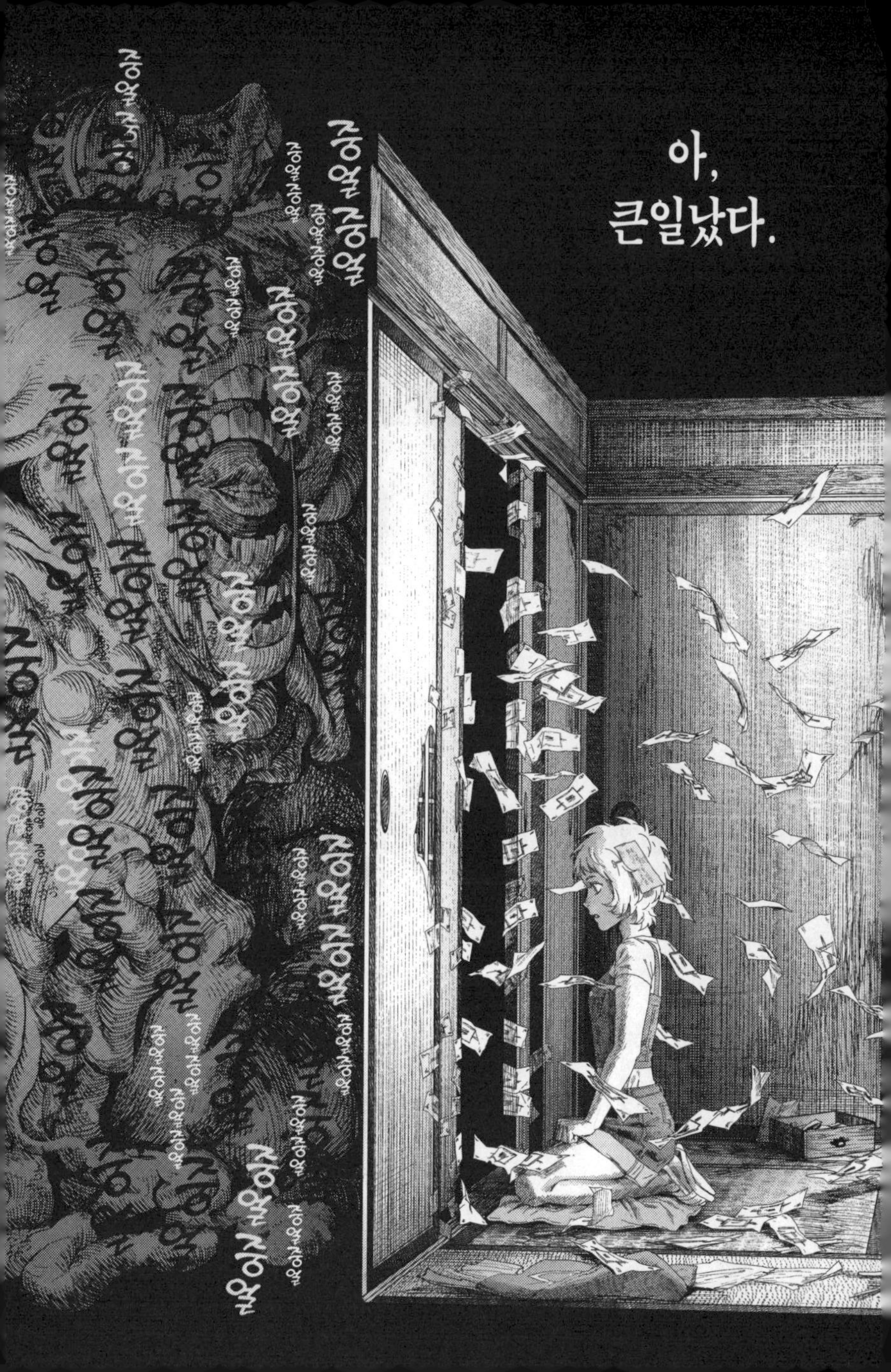
아,
큰일났다.
중얼중얼

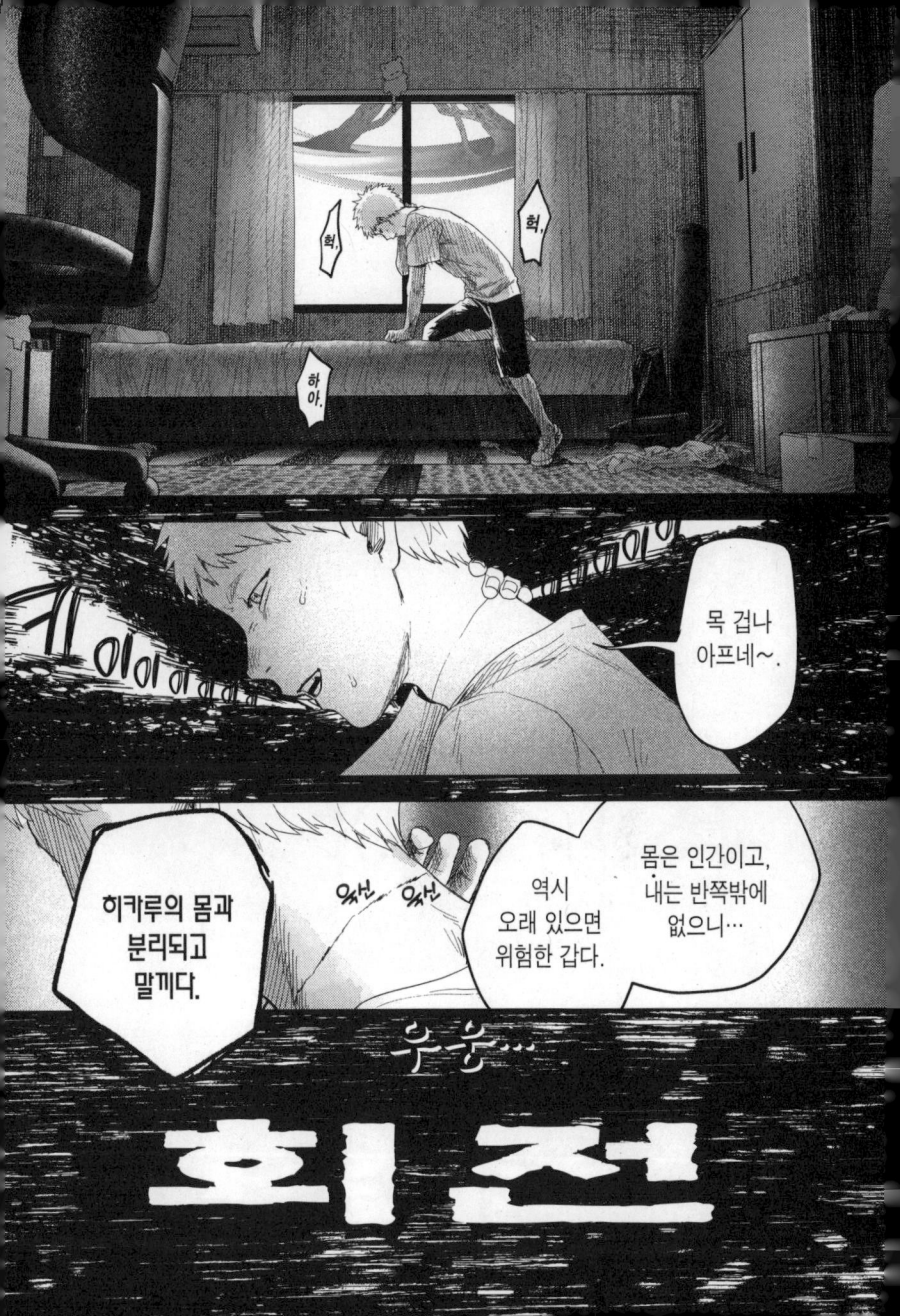

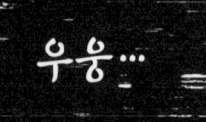

우웅...

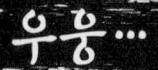

우웅...

아,

이 감각도
오랜만이네.
예전에는 줄곧
이곳에···.

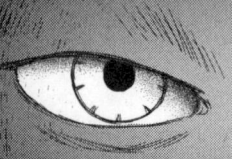

우웅...

제
34
화

「구멍」에 관해 알고 있는 것

● 구멍은 네 개 있다

우데카리의 구멍

아시도리의 구멍

쿠비타지의 큰 구멍

키보우가야마의 구멍
(장소는 불명)

→ 전부 닫지 않으면 재앙이 일어난다

이 지역은 옛날부터 부정함으로 가득했고, 그 원인은 구멍.
옛날 사람들은 구멍을 분할시킴으로써 커지는 걸 막은 것 같다.
히카루가 산에 있는 동안에는 부정함이 산에 모여서
평온을 유지했지만, 이젠 한계가 왔다.

● 구멍은 반대편에서만 닫을 수 있다

사람이 반대편에 가면 죽는다.
아시도리의 「호우코 축제」는 구멍을 닫고 죽은
아이들을 공양하는 것이 기원이었다.

아시도리의 구멍

인간이 아닌 히카루가
구멍에 들어가서 닫으면
영적인 연결을 이용해
요시키가 끌어올리는 작전.

우데카리의 구멍

타나카는 사람이 아닌
부정함에게 닫아 달라고 하는
방법을 생각하고 있다.
아사코의 힘이
도움이 되는 모양인데….

부정함에게 미각도 일부 빼앗겼다.

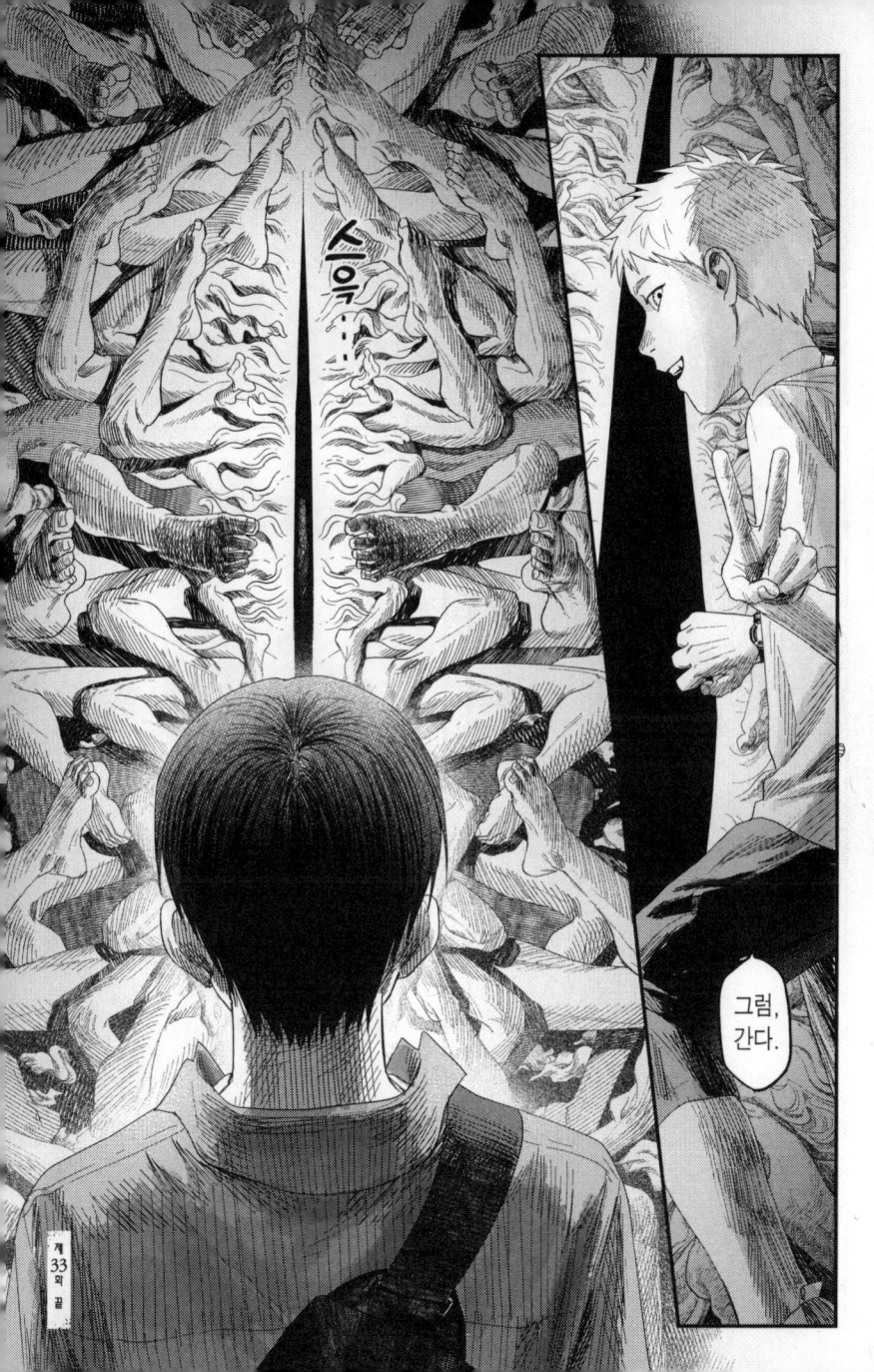

아!

방에 있으면
안전한 거죠?!

이런 건
안에 들이지 않으면
들어올 수 없다고
우리 형이 그랬어요!

절대로
방에서 나가면
안 된데이.

으째서
?!

아니?
평범하게
들어오는데~?

자
박

뭐,
다치지
마래이!

조만간
불꽃축제도
있으니깐.

....

쿠레바야시 씨가
있으니까
개안켔지.

히힛.
지금쯤
벌벌 떨고 있지
않겠나?

마키
....

할아버지한테 받은 호신구다.

하얀 끈?

희귀한 산양의 털로 만든 거랜다.

오, 좋은데?

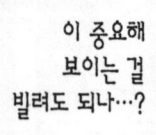

이 중요해 보이는 걸 빌려도 되나…?

혹시 몰라서 매일 차고 다녔거든.

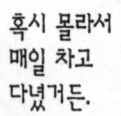

갖고 있으면 산양님이 도와준다 카드라.

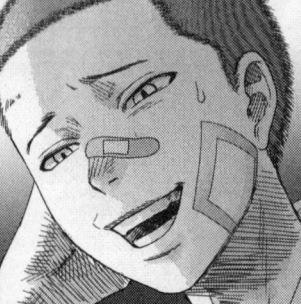

아까 이상한 꿈도 꿨고…. 불길한 예감이 드는 거 있제.

뭐, 내가 할 수 있는 일은 이런 것밖에 없고. 하핫.

어라~.

개안나?!

마키!!

으, 어
….

마키,
잘
들으래이.

사당
청소도
했는데에~!

으예~.
내 아직도
위험한 거가?

저기… 아저씬 항상 이런 위험한 일을 해요?
영매사는 아닌 거 같고….
대체 정체가…?
음~
뭐라고 하지.
블랙 기업에서 일하는 회사원… 일까요.
하하.
어어 ….

뭐,
그리 간단하진
않겠죠.

굴복시키는 게
아닌
어디까지나
대등한 거래입다.

부정함에게
놓는
으름장.

으름장...!

이쪽 목소리는
부정함에게
전달되니까

학생은
저쪽이 하는 말을
통역해 주기만
하면 돼요.

이번에는
학생이 있어
말이 통하니

어느 정도는
수월하겠죠.

이 집에
원래 살던 사람은…
뭔가를 모셨던 것
같으니까

안쪽에
그 녀석이
있을 겁니다.

지금부터
이 저택에 있는
부정함과

구멍을
닫아 주면
안 되냐고
교섭할 겁니다.

찰싹

엇,
잠깐.

이거,
뭔데요?

교섭하면
확실하게 구멍을
닫아 주나요?

슈핏

쾅

이건?

결계임다.
심리적
안전장치죠.

쾅

쾅

쾅

괴물과의 교섭을
「통역」해
줘야겠어요.

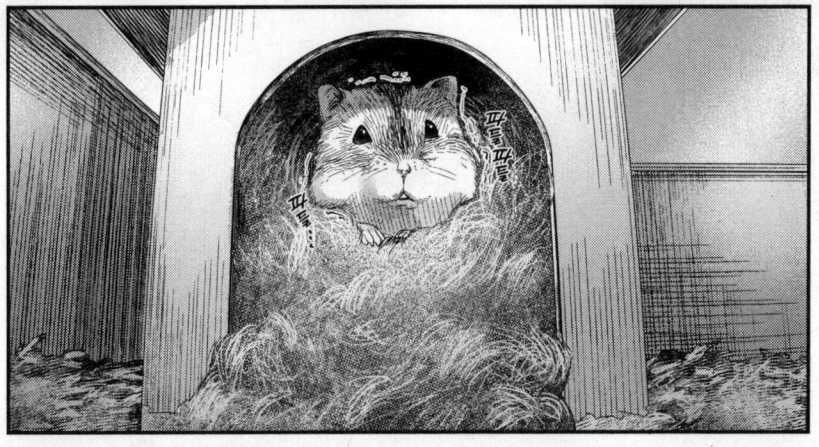

저는
아무것도
모르고….

히카루
안에 있는 것의
정체도…

뭐,
모른다는 것을
아는 것도
첫걸음입니다.

—라는
것밖에
모릅니다.

사람의 소원을
들어주는
불가사의한
존재.

관측상으로는
많이 있지만…
극히 드물게
이 세상에
출현하는

그걸
사용해서…

아무튼
학생은

안 보이면서
들린다는
「유리한 힘」을
가지고 있으니,

끊임없이
눈앞의 존재를
진지하게
대하는 거죠.

그래서
우리 같은 사람이
괴물과 접할 때는

「인간을
넘어선 눈」을
가져야 해요.

「연결」에
발목을 잡힐
겁니다.

인간의
가치관에
끼워 맞추지
않고

일대일로
알려고
하지
않으면

…뭐,
그런 게
완벽히
가능하다면

더 이상
사람도
아니겠지만요.

뭔가 되게
어렵네요….

안 죽을 가능성이 있을 뿐이죠.

아뇨, 그래도 죽어요.

하하하!

괴물이 닫게 한다….

그렇구나! 그 방법이라면 될 것 같—

0120-0XX0-0345

네….

지금은 왼쪽 귀만 들리지만요.

들을 순 있어도… 뭘 할 순 없는데—.

오히려 잘됐어요.

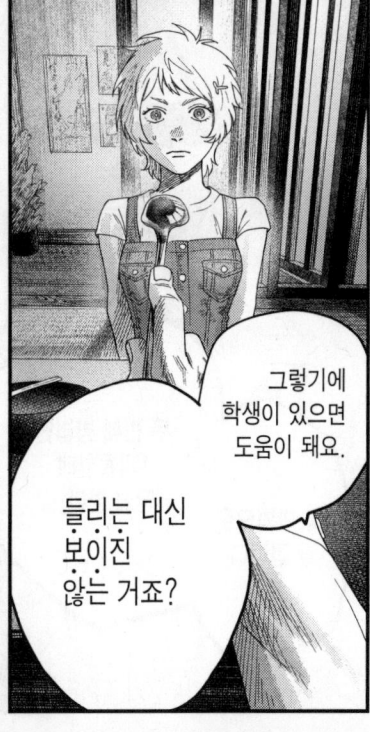

그렇기에 학생이 있으면 도움이 돼요.

들리는 대신 보이진 않는 거죠?

사람 상대하는 게 어려워서요, 미안함다.

아저씨는 엄청 수상쩍긴 해도 확실히 연구자긴 하구나….

농민이 욕심부려서 「구멍」에 버섯을 숨기려고 했더니 목이 떨어져서…

…왜 목이 떨어졌더라?

잘 들어요.

「농민의 목」이라는 민화, 들은 적 있죠?

그 이야기에 나오는 「구멍」이에요.

「농민의 목」… 들은 적 있어요.

안 들어본 애들이 없을 걸요.

식사
디저트

칸
반
암

차·장
으로

카·케·우·동
카·케·소·바

우데카리 명물
삼나물 아이스크림
동산 후 꿈의
휴식!

제
33
화

0345 타카하시 안과

그래서
…

그 「구멍」에
우리 선조들이
목을 바쳤다는
거예요?

네.

시 신경

시각 교차

시공후 전실

눈, 피로하지 않나요?

0345 타카하시 안과

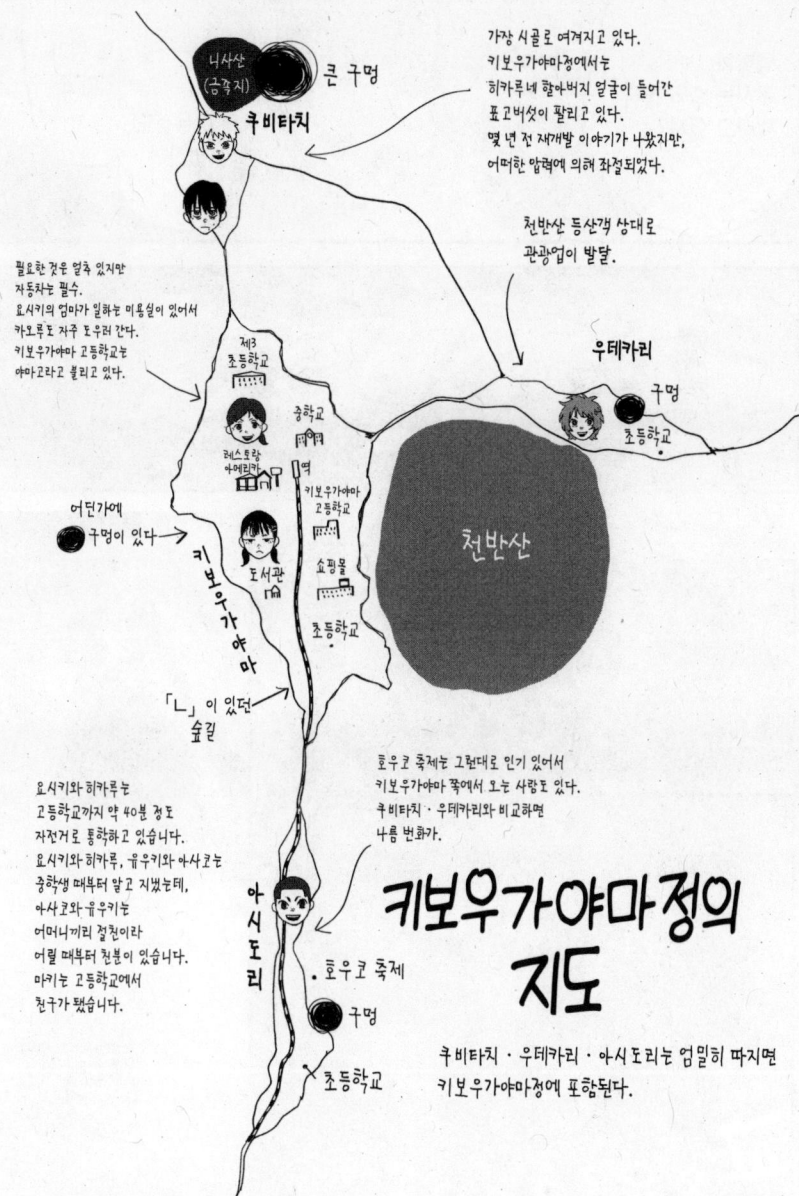

엄마가 무서운 소리 하지 말라고 했지?

또 뭐가 있다고?

아무것도 없잖아.

금방 이야

고ㅇㅇㅇㅇㅇㅇㅇㅇ ㅇ ㅇ ㅇ ㅇ ㅇ ㅇ ㅇㅇㅇ...

제32화 끝

「구명줄로 파이팅」 작전?

하지만 그러면 빠져나가기 어렵겠제.

거기서 「연결」을 이용하는 거지.

연결….

일단 구멍을 다 닫지는 말고

아줌마가 닫을 수 있을 만한 「작은 구멍」으로 만드는 기다!

내는 히카루처럼 부정함을 없애지는 못 한데이.
부정함을 작은 구멍 반대편으로 돌려보내고 그 구멍을 닫을 뿐.
파앙
닫을 때 소리가 난다
그 왜, 메시 원단은 작은 구멍이라면 손톱으로 간단히 고칠 수 있잖아? 그런 식으로.
인연… 연결… 끌어당김… 작은 구멍….
알았다!

마키…
얘 그냥
자고 있는 거,
맞죠?

으…

사당이
깨끗해져서
다소 움직일 수
있게 됐어도…

다리 부정함은
까다로운
모양이네.

이건 마키가
부정함을
「안 보도록」

산양님이
재운 거데이.

어째서
마키를 노리는
건데?

그 대신 「구멍은 반대편에서만 닫을 수 있다」.

바늘과 실로 할 수 있을 정도라는 거제.

구멍을 닫는 건 간단한 일이고

니라면 저쪽에 갈 수 있다···는 거고.

하지만 히카루,

인간이 저쪽에 가는 건 죽으러 가는 셈···.

하지만 문제는 「어떻게 돌아올 거냐」잖아···.

응.

내한텐 영혼이 없으니까, 저쪽에 가도 아무렇지도 않을걸.

······

그건··· 기합으로?

그렇죠.
이쪽
세계에서는,
일단은.

···이 안쪽에
「구멍」이
있어요?

덜컹

아까도
그런 말을
했고···.

이 사람은···
너무
수상하다···.

·······

수,
수상한 사람
인가요?!

어,
어?!

누구?!

…타케다 씨. 슬슬 스스로 생각해서 움직이실 때임다.
관습이라든가 전통 같은 것에 매달리지 말고요.
스스로 생각하세요.
무엇을 정말로 소중히 여기고 싶은지.
아아,
그리고 조만간 그쪽에 누군가가 올지도 모르는데…
…뭐, 판단은 맡기겠습니다.
니가 뭘 안다고…!
어어!
아직 끊지 마라!
제발…!
……
…….
젠장!
쾅

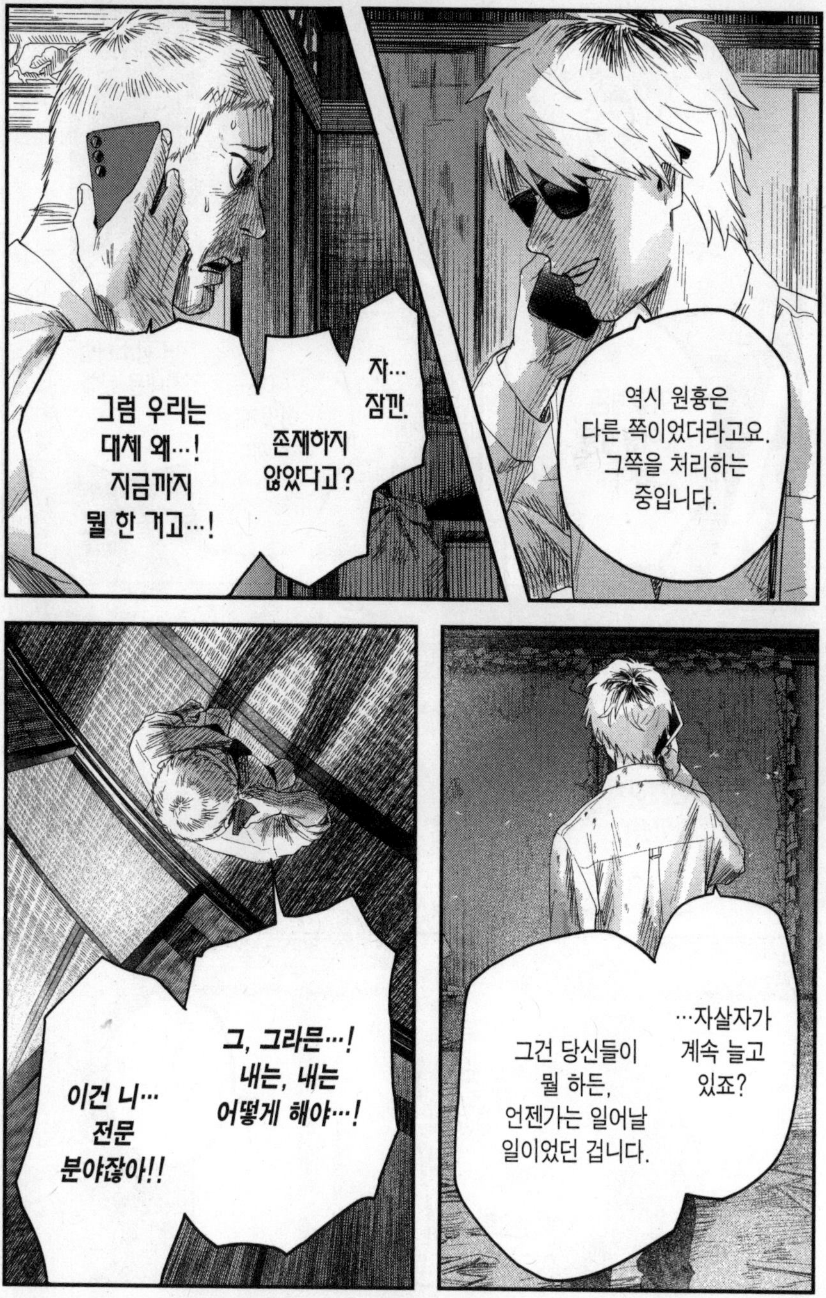

자…
잠깐.

존재하지
않았다고?

그럼 우리는
대체 왜…!
지금까지
뭘 한 거고…!

역시 원흉은
다른 쪽이었더라고요.
그쪽을 처리하는
중입니다.

그, 그라믄…!
내는, 내는
어떻게 해야…!

이건 니…
전문
분야잖아!!

…자살자가
계속 늘고
있죠?

그건 당신들이
뭘 하든,
언젠가는 일어날
일이었던 겁니다.

…다이스케,
쿠비타치에서
그 산에 드갔던
사람은 90%가
행방불명됐거나
변사체로
발견됐다.

그 모양
이니까…!
관습도 하나
못 지키는
기다…!

닌 위기감이…
전혀 없어!!

…….

…개안타.

여보,
이대로 그냥
있다가는….
도쿄에서 왔다던
그 청년은 대체
뭘 하는 건지…!!

이번에는
니시다야네 할아버지랑
할머니가 동시에
목을 매달았다 카네….

「노우누키 님」
때문이라고?
안 믿는 건 아닌데,
아무리 그래도
그건 좀….

엄마….

또 떼죽음이
일어날
거라고….

동네 사람들 다…
그것의
저주라면서
떨고 있다…!!

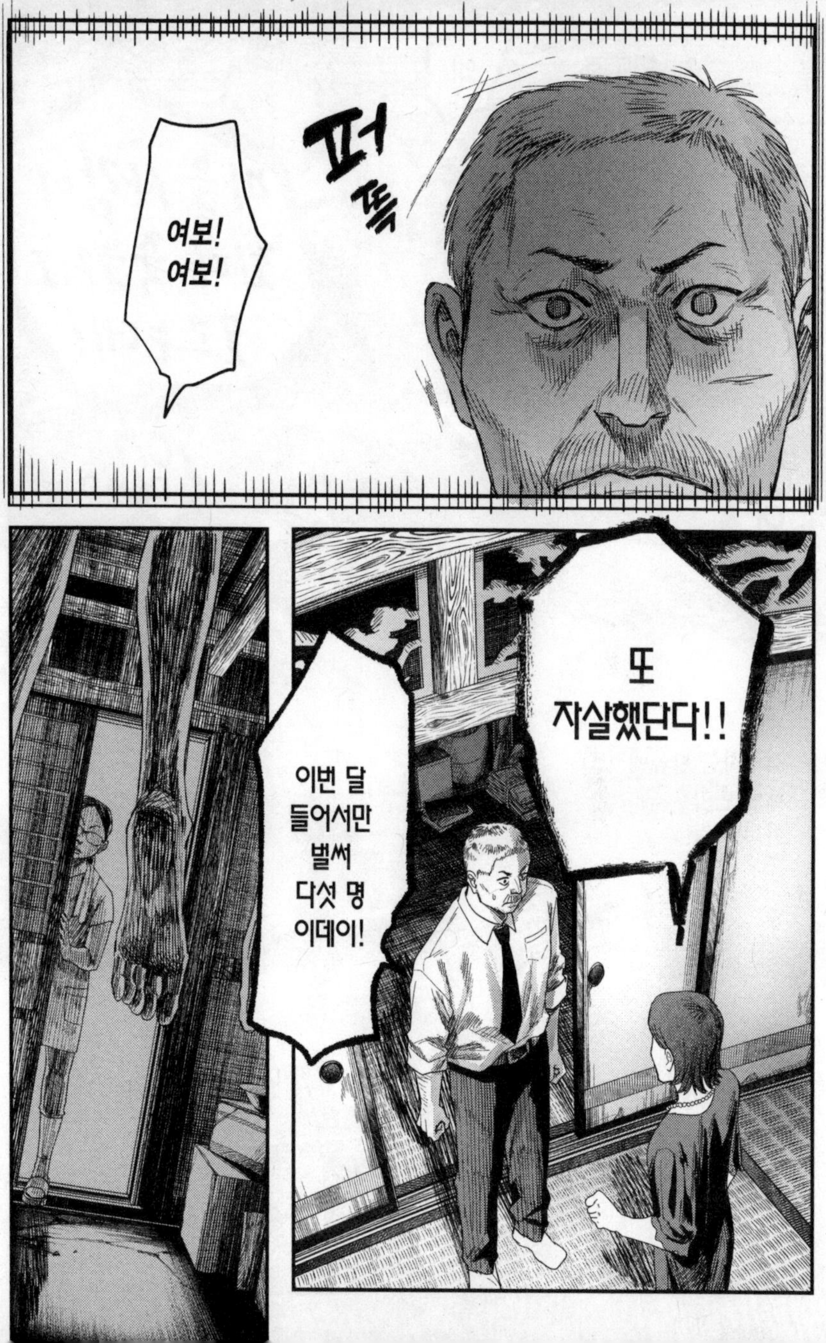
펄
뜩
여보!
여보!
또
자살했단다!!
이번 달
들어서만
벌써
다섯 명
이데이!

목
차

제
32
화

제
32
화

우ーーーーーーーーーーーーーーーーーーーーー웅…

형,
뭐 보는데?

니도
뉴스
봐라.

남자고등학생 2명 사망
○○현 ○○시 키보우가야마정

인도우 히카루 군 (16)

츠지나카 요시키 군 (17)

…어?